D0979661

Hilke Rosenboom wurde 1957 auf Juist geboren. Sie studierte in Kiel Linguistik und besuchte die Journalistenschule in Hamburg. 15 Jahre lang arbeitete sie als Reporterin beim »Stern«. Seit 1995 veröffentlichte sie als freie Publizistin viele Romane für Erwachsene und Kurzgeschichten für Kinder. Sie war verheiratet und lebte mit ihrem Mann und ihren beiden Kindern in Hamburg und Ostfriesland. Hilke Rosenboom starb im August 2008.

Hilke Rosenboom

Ein Pferd namens Milchmann

Mit Bildern von Anke Kuhl

Außerdem von Hilke Rosenboom im Carlsen Verlag lieferbar:
Melissa und die Meerjungfrau
Das Handbuch für Prinzessinnen
Hund Müller
Ferdi und der geheimnisvolle Reiter
Ferdi und das Pferd aus Gold
Ferdi und Greta halten zusammen
Ferdi und das gerettete Fohlen

Veröffentlicht im Carlsen Verlag
12 13 14   14 13 12
Copyright © 2005 Carlsen Verlag GmbH, Hamburg
Umschlagbild: Anke Kuhl
Umschlaggestaltung: formlabor
Corporate Design Taschenbuch: bell étage
Gesetzt aus der Stempel Garamond und Impact
von Dörlemann Satz, Lemförde
Druck und Bindung: GGP Media GmbH, Pößneck
ISBN 978-3-551-35663-5
Printed in Germany

Alle Bücher im Internet: www.carlsen.de

Montagmorgen,
ein Pferd taucht auf

An einem Tag im Mai war Herman allein zu Haus. Er stand in der Küche und war eben dabei, die Umrisse eines Ritters in die Butter auf seinem Brot zu ritzen. Dazu wollte er Kakao trinken, mit ganz viel Kakaopulver und möglichst wenig Milch. So war das Leben zum Aushalten, fand Herman. Da hörte er plötzlich, wie draußen jemand hustete.

Heute war er nicht in der Schule. Mit leichtem Fieber kann man kein Diktat schreiben, das hatte sogar Hermans Vater eingesehen, der sonst dafür war, dass neunjährige Jungen ihr leichtes Fieber unterdrücken und sich benehmen wie ein Mann. Herman versuchte sich wie ein Mann zu benehmen und spähte um die Ecke.

Wenn ein Mann ein ungewohntes Geräusch

hört, schaut er nach, was es ist. Auch wenn er leichtes Fieber hat. Auch wenn das Geräusch nicht aus dem Haus kommt, sondern von irgendwo aus dem einsamen Garten. Aber hinter Hermans Haus gab es keinen einsamen Garten. Es gab eine Terrasse, und – kein Zweifel – auf der Terrasse war jemand und hustete.

Es war ein riesiges Pferd. Es war größer als alle Tiere, die Herman bisher in der Nähe seiner

Straße gesehen hatte, und es blickte mit seinen riesigen Augen, die aus seinem riesigen Kopf hervorschauten, in Hermans Richtung.

Herman legte sein angebissenes Butterbrot auf die Ecke des Couchtisches und machte ein paar Schritte auf das Pferd zu. Das Pferd machte nur einen Schritt und warf mit seinem gewaltigen Hintern den Gartengrill um.

Obwohl zwischen ihnen die Fensterscheibe war, konnte Herman erkennen, dass das Pferd Angst hatte. Seine olivfarbenen Augen blickten mild und ängstlich und seine gewaltigen Lippen zitterten. Das sah aus, als wolle es gleich anfangen zu heulen.

Herman öffnete die Terrassentür und trat einen Schritt weit hinaus. Das Pferd zuckte leicht zusammen. »Wahnsinn«, sagte Herman. »Wo kommst du denn her?«

»Pphhrr«, machte das Pferd.

Herman verstand sofort. Pphhrr hieß natürlich: »WEISS ICH DOCH NICHT, MANN.« Herman stand jetzt so nah am Kopf des Pferdes, dass er seinen warmen Atem spüren konnte. Das

Pferd trug eine Art Stirnband aus einem schmutzigen Stoff, damit sah es ein wenig aus wie ein schwedischer Tennisspieler. Oben auf dem Band standen zwei Buchstaben.

»MM, ist das dein Name?«, fragte Herman. »Wofür steht das?« Er überlegte eine Weile, so lange, bis das Pferd unruhig von einem Fuß auf den anderen trat. »Magisches Monster könnte es heißen«, sagte Herman, aber das Pferd sah ihn nur abfällig von oben herab an.

»Vergiss es«, sagte Herman. »Ich schätze mal, dass es etwas Praktisches bedeutet, vielleicht so etwas wie Milch Mann.« Das Pferd bewegte seinen riesigen Kopf ein ganz kleines bisschen auf und ab. Nickte es? Oder machte es sich über ihn lustig? Oder schrieb man Milchmann vielleicht in einem Wort?

»Wir bleiben mal bei Milchmann«, sagte Herman und versuchte den Tonfall seines Vaters nachzuahmen. Wir bleiben mal bei der Sache. Wir bleiben mal bei Obst statt Süßigkeiten. Wir bleiben in diesem Sommer mal hier.

»Na? Milchmann?«, fragte Herman und be-

rührte das Pferd vorsichtig am Hals. Der Hals
war warm und dick und fest. Das Fell darauf war
säbelkurz und seidig.

Wenn das Tier den Kopf gesenkt hielt, so wie
jetzt, dann waren die riesigen Nasenlöcher auf
Hermans Augenhöhe. Man konnte halb reingu-
cken. Innen waren sie rosa, genau wie bei dem al-

ten Friseur in der Stadt, der Herman und seinem Vater immer die Haare schnitt. »Hast du dich vielleicht verlaufen?«

Milchmann schüttelte den Kopf. Dabei flog die graue Mähne wild hin und her, und als sie sogar Hermans Gesicht streifte, fühlte sich das hart und borstig an. Dann machte Milchmann einen kleinen Schritt auf ihn zu, streckte seinen riesigen Kopf durch die Terrassentür nach innen und linste hinein.

»Stopp!«, rief Herman, doch da klapperten schon die Vorderhufe auf dem Parkett. Herman hielt nach einer Stelle am Körper des Pferdes Ausschau, an der er es zurückhalten konnte. So eine Stelle gab es nicht. Milchmanns Fell war aalglatt und er trug auch keinen Sattel.

Nun drängte Milchmann sich mit seinem prallen Bauch an Herman vorbei und klemmte ihn an die Scheibe der Terrassentür, als sei er ein Fensterbild aus Gummi. »Ifff«, machte Herman und war froh, als Milchmann es endlich geschafft hatte, seinen gewaltigen Hintern, die fetten Oberschenkel und die suppentellergroßen Hinterhufe über

die Schwelle der Terrassentür nach innen zu quet-
schen.

»Das geht aber nicht!«, rief Herman. Seine Eltern schätzten es nicht, wenn er Besuch ins Wohnzimmer ließ. Eigentlich meinten sie dabei vor
allem Menschen, Kinder!, aber gegen ein Pferd
würden sie auch etwas haben, da war Herman
sich sicher. Und zwar wegen der Größe.

Hermans Eltern fanden ihn zwar auch schon
groß, weswegen seine Mutter im vergangenen
Winter wieder angefangen hatte zu arbeiten. Aber
ansonsten hatten sie eine Abneigung gegen alles
Große: gegen große Autos und große Ansprüche,
gegen zu große Scheiben Wurst auf dem Brot und
gegen große Worte. In Hermans Familie wurden
die kleinen Dinge hochgehalten, zu Weihnachten
und zu den Geburtstagen gab es kleine Aufmerk-
samkeiten und man tat sich gegenseitig kleine Gefallen.

Jetzt stand das Pferd mit hängendem Kopf in
der Mitte des Wohnzimmers und sein riesengro-
ßer Hintern drohte, die Bücher in die Bücher-
wand zu drücken und die Obstschale von der An-

richte zu rasieren. Herman drängte sich an den Flanken des Pferdes vorbei, um zu sehen, was vorne vor sich ging.

Das Pferd ließ seinen Kopf über den Couchtisch hängen und versuchte mit seiner Unterlippe die Brotscheibe hochzuflippen, die Herman dort abgelegt hatte. Zuerst gelang das nicht, aber plötzlich stülpte das Pferd die Lippen auf, zeigte eine Reihe riesiger gelber Zähne und verschlang die Brotscheibe, mitsamt eingeritztem Ritter. Es kaute ein paarmal unentschlossen in die eine und unentschlossen in die andere Richtung. Dann schluckte es und sah Herman herausfordernd an.

Frühstück für
ein Ungeheuer

Kein Zweifel. Das Pferd war ihm zugelaufen. Und es hatte Hunger. Herman saß mit angewinkelten Beinen im Lesesessel seines Vaters. Sein Gehirn arbeitete auf Hochtouren. Was konnte er dem Pferd anbieten? Frühstückte ein Pferd überhaupt? Und was schmeckte ihm? HAFER!

Die Frühstücksflocken, fand Herman, waren mit das Schlimmste in seiner Familie. Es gab immer nur die eine Sorte und es gab sie in rauen Mengen. Sie schmeckten staubig, mehlig, spelzig, mampfig, dumpf und überhaupt nicht süß. Das würde dem Pferd gefallen. Zumindest, wenn es wirklich Hunger hatte. Wenn man wirklich Hunger hat, schmeckt noch die trockenste Flocke, sagte Hermans Vater immer.

»Warte hier«, beschwor Herman das Pferd und

wand sich an ihm vorbei in Richtung Küche. Aber das Pferd bewegte sich ohnehin nicht. Es schien völlig in sich versunken zu sein. Dann hob es den Schweif und äpfelte auf den Teppich, direkt vor den Fernseher. Das Pferd äpfelte elf Äpfel, einen nach dem anderen. Dann hörte es auf und sah sich kurz nach hinten um.

Herman fackelte nicht lange. Er schoss in die Küche und zog das Kehrblech aus dem Besenschrank. Der Duft der Pferdeäpfel schoss hinter ihm her und umhüllte Herman, der vor dem Schrank kniete und fieberhaft nach einem Gegenstand suchte, mit dem er die Pferdeäpfel auf das Kehrblech schieben konnte. Der Handbesen mit seinen weichen Haaren ging schon mal nicht. Das würde eine schöne Ferkelei werden. Er entschied sich für den Teigschaber, riss die kleine durchsichtige Salatschüssel aus dem Schrank, schüttete sie mit Haferflocken voll und flitzte zurück ins Wohnzimmer.

Das Pferd hatte sich unterdessen die drei Äpfel aus der Obstschale genommen. Den letzten kaute es immer noch. Ehe Herman sich's versah, steckte es sein riesiges Maul in die Salatschüssel, mampfte kurz und schlabberte sich mit seiner großen rosa Zunge um die Lippen. Dann blickte es Herman gespannt an.

Die elf Pferdeäpfel lagen locker auf dem kleinen bunten Teppich vor dem Fernseher, auf dem Hermans Mutter immer ihre Yogaübungen machte. Sie ließen sich ganz leicht mit dem Teigschaber auf das Kehrblech schieben. Herman hoffte inständig, dass sie keinen Geruch auf dem Teppich hinterlassen würden.

In den Mülleimer in der Küche jedenfalls konnte er die Pferdeäpfel nicht werfen. Da würden sie gefunden werden. Herman musste die Pferdeäpfel nachhaltig loswerden, überlegte er. Vielleicht könnte er sie ins Klo werfen. Obwohl es insgesamt doch recht viele waren?

Da fiel Herman das Rosenbeet ein. Das Rosenbeet lag im Vorgarten und es wuchsen drei magere Rosen darin, für jeden aus Hermans Familie eine. Die Rosen, dachte Herman jetzt, könnten ALLE etwas Dünger vertragen.

Draußen war es plötzlich viel wärmer geworden. Als Herman einen Fuß auf die kleine Außentreppe setzte, spürte er, wie sehr sich die Steine erwärmt hatten. Über der Hecke summte sogar eine Biene. Mit seiner alten Kinderschaufel ließ sich in der lockeren Erde des Rosenbeetes ganz leicht ein gewaltiges Loch graben. Alle Pferdeäpfel passten auf Anhieb hinein. Herman drückte schnell noch die Erde fest, dann sprang er auf die Füße und flitzte ins Haus zurück.

Er hatte schon einmal irgendwo gehört, dass Pferde im Stehen schlafen können. Aber dass das ausgerechnet bei ihnen im Wohnzimmer klappen würde, hätte er nicht vermutet. Mit ihrem Wohnzimmer war nämlich was nicht in Ordnung. »Ich bin wie gerädert«, stöhnte der Vater manchmal, wenn ER die Nacht im Wohnzimmer verbracht hatte, und zwar auf der Couch. Und Hermans Mutter klagte, dass es der reinste Horror sei, wenn SIE einmal im Wohnzimmer nächtigte.

Milchmann indes schlief im Wohnzimmer offenbar ganz ausgezeichnet, und das sogar im Stehen, und er sah dabei so unerschütterlich aus wie ein großer grauer Felsbrocken. Sein dicker melierter Kopf baumelte mit hängender Mähne über dem Couchtisch. Manchmal zuckte seine Haut ein wenig. Oder sein Schweif bewegte sich leicht hin und her, wie von einem Lufthauch gebauscht. Im Sonnenlicht über ihm flirrten Staubkörnchen. Das machte ihn sehr geheimnisvoll, so als ob er aus einem Nebel entstanden wäre.

Seine olivfarbenen Augen waren ins Nichts gerichtet, das sich offenbar direkt auf einem der beiden blauen Sofakissen befand. Dazu schnarchte er leicht.

Das schlafende Pferd sah gemütlich aus, fand Herman. Er hätte sich gerne etwas an seine Seite gelehnt, nur ganz kurz, um zu sehen, ob er auch im Stehen schlafen könnte. Aber dann piepste das Telefon und er schockte hoch.

Babir war dran. Das heißt, Babir würde gleich dran sein. Vor Babir meldete sich immer zuerst Babirs Mutter, nur um sicherzugehen, dass Babir auch die richtige Nummer gewählt hatte und nicht die eines Kinderhändlers. Babirs Familie kam aus Indien – einem Land, in dem sich die Mütter anscheinend besonders viele Sorgen um neunjährige Söhne machten.

»Oh, Mann«, sagte Herman, nachdem er Babirs Mutter endlich erklärt hatte, warum er heute nicht in der Schule war und dass er wahrscheinlich nicht die Pest, die Cholera oder die hinterneuseeländische Tüpfelgicht hatte, sondern nur ganz wenig normales Fieber. Und dass auch das bereits abgeklungen war. »Kannst du schnell herkommen? Hier ist ein Pferd!«

»Echt?« Babirs Stimme klang, als ob er gerade ein Stück Schokolade aß, und er stellte eine Frage nach der anderen, wie ein Staatsanwalt. »Warum warst du nicht in der Schule? Wusstest du nicht, dass wir ein schweinelanges Diktat schreiben? Was für 'n Pferd ist es?«

Herman hatte die Stimme etwas gesenkt, um Milchmann nicht aufzuwecken. »Ein ziemlich großes Pferd. Und es steht bei uns im Wohnzimmer. Du musst kommen!«

»Woher hast du das Pferd?«

»Ist mir heute Morgen zugelaufen«, antwortete Herman.

»Sagtest du Pferd oder sagtest du Katze?«, fragte Babir sachlich.

»Pferd, Mann, es ist ein Pferd. Du musst kommen!«

Babir atmete genervt ein. »Und was soll ich mit meiner Mutter machen?«

Dann war das Gespräch unterbrochen. Herman aber hatte das plötzliche Gefühl, dass Milchmann und er nicht mehr alleine waren. Auch Milchmann schien die Gefahr zu spüren, denn er wachte auf, hob den Kopf, drehte sich etwas und blickte ängstlich zum Fenster hinaus.

Herman hätte Frau Grünholz fast nicht erkannt, denn die Fensterscheibe war nicht gut geputzt und ihr Gesicht war verzerrt. Frau Grünholz war die Nachbarin zur Linken, ein absoluter Fachmann für Spionage aller Art.

»Auf eurer Terrasse riecht es komisch«, rief Frau Grünholz und stellte den Gartengrill wieder auf die Füße. Ihre Augen waren klein und gekräuselt wie das Innere von Stiefmütterchen. Sie fixierte Herman. Sie fixierte Milchmann. Dann öffnete sie den Mund und setzte zu einem Schrei an, der im kompletten Wahnsinnsweg zu hören war. »Iiiiiihhhh!«, machte Frau Grünholz. »Ein Pferd ist in ein Haus eingedrungen und bedroht einen kleinen Jungen!«

Frau Grünholz kletterte über die Terrassenwand in ihren eigenen Garten zurück und war im nächsten Augenblick aus Hermans und Milchmanns Sichtfeld verschwunden. »Polizei!«, hörte er Frau Grünholz noch schreien. »Feuerwehr! Tierfänger! Betäubungsgewehr! Zu Hilfe doch!«

Milchmann war starr vor Furcht. Er stand jetzt ganz nahe am Sofa und es war ihm anzusehen, dass er sich am liebsten daraufgeworfen und unter der karierten Decke verkrochen hätte.

»Schnell!«, rief Herman. »Wir müssen hier weg. Die kommen bestimmt gleich und holen dich. Am besten vorne raus!«

Milchmann sah ihn entgeistert an.

Wenn Herman den Arm weit hochstreckte, konnte er Milchmann am Halfter fassen. Herman machte zwei Schritte in Richtung Flur und zog aus Leibeskräften.

Milchmann setzte zögernd einen Fuß vor den anderen. Die Wohnzimmertür war zum Glück einen Hauch breiter als die Terrassentür. Aber gleich nach der Wohnzimmertür kam eine enge Kurve, da, wo es oben zur Treppe ging, geradeaus zum Klo, rechts zur Küche, links zur Garderobe und schräg links zur Haustür.

Fast wäre Milchmann stecken geblieben. Er musste seinen runden Leib um die Kurve winden wie eine dicke Schlange. Herman hätte nicht gedacht, dass das Pferd so dermaßen gelenkig war. »Puff«, machte Milchmann, als sie endlich um die Ecke waren.

»Jammere nicht«, rief Herman, »wir haben keine Zeit!«

Er öffnete die Haustür und spähte in alle Richtungen. Zum Glück war niemand auf der Straße. Aber heulte in der Ferne nicht bereits eine Polizeisirene?

Milchmanns Hufe klapperten auf der Einfahrt. »Schnell hier rein!«, rief Herman, öffnete mit einer Hand das Garagentor und drückte Milchmanns dicken Hintern mit der flachen Hand ein wenig voran. »Mach bitte keinen Mucks!«

»Phhrr«, machte Milchmann.

Herman rannte hinaus, riss das Garagentor wieder nach unten und war mit einem Satz im Haus verschwunden. In diesem Moment fuhr der

Polizeiwagen bei Frau Grünholz vor. Vermutlich würde es keine zwei Minuten dauern, bis es bei Herman an der Tür klingelte.

Es dauerte eine Minute.

Milchmann soll unsichtbar werden

In dieser einen Minute arbeitete Herman mehr als in seinem ganzen bisherigen Leben. Er lüftete das Wohnzimmer, um den Pferdegeruch hinauszulassen, und er versprühte das Rasierwasser seines Vaters, um den Familiengeruch wiederherzustellen. Er schüttelte den Yogateppich seiner Mutter, um die grauen Haare von Milchmann gleichmäßig im Raum zu verteilen. Er bürstete den Sessel ab, auf dem sich Pferdestaub gesammelt hatte, schüttelte die Kissen, rückte die Bücher im Regal zurecht, brachte die leer gefressene Obstschale in die Küche und wischte mit dem Ärmel ein bisschen Pferdespucke vom Couchtisch, von der Stelle, wo das Brot gelegen hatte.

Als es bereits zum zweiten Mal klingelte, schob er noch die Salatschüssel unters Sofa. Während er zur Tür eilte, fetzte er den Schal seines Vaters von der Garderobe und schlang ihn sich um den Hals. Dann hüstelte er.

Er konnte gerade noch die Worte TIERHEIM und TOLLWUT aufschnappen. Dann riss er die Tür auf. Neben dem Polizisten stand Frau Grünholz, deren Gesicht vor Empörung ganz rosa geworden war.

»Du bist allein zu Hause?«, fragte der Polizist und drängte sich an Herman vorbei. »Hast du keine Eltern?«

»Meine Eltern arbeiten. Ich bin krank! Ich habe Fieber!« Herman hustete abermals. Diesmal klang es fast echt, fand er.

»Wie riecht das hier?«, fragte der Polizist und sog geräuschvoll etwas Raumluft ein.

»Typisch Pferd«, sagte Frau Grünholz eifrig.

Herman hatte es bisher nicht bemerkt, aber während er ganz cool mit dem Polizisten und mit Frau Grünholz vom Flur bis ins Wohnzimmer schlenderte, roch er es auch. Es roch nach Pferd. Und nach Pferdeäpfeln! Ob er vielleicht irgendwo einen übersehen hatte?

»Genau hier hat es gestanden und vermutlich gepupst!«, bemerkte Frau Grünholz und zeigte mit einem hageren Finger in die Mitte des Raumes.

»Das ist das Rasierwasser von meinem Vater«, antwortete Herman hastig.

Der Polizist beugte sich etwas vor. »Und was steht da unter dem Sofa?«

Herman schluckte. »Na und? Ich habe auf dem Sofa gelegen!« Er hätte gar nicht gedacht, dass er so patzig sein konnte.

»Was AUF dem Sofa los war, hab ich nicht gefragt«, schnappte der Polizist. »Ich will wissen, was UNTER dem Sofa ist.« Damit ging der Polizist in die Hocke, es knackte, und einen Moment später stellte er triumphierend die leere Salatschüssel auf den Tisch. »Was ist das?«

»Das ist mein Frühstücksgeschirr«, sagte Herman. »Meine Schüssel.«

»Und kein Löffel«, sagte der Polizist. »Wie hast du daraus gegessen? Du bist doch kein Pferd! Den Mumpitz soll ich dir wohl glauben?«

In diesem Moment piepste wieder das Telefon.

»Hallo!« Herman drückte das Gerät an sein Ohr.

»Tu mir einen kleinen Gefallen«, sagte seine Mutter in Hermans Ohr hinein. »Auf dem Küchentisch liegt meine kleine rote Geldbörse. Die hab ich heute Morgen zu Hause vergessen. Jetzt kann ich mir nichts zum Essen kaufen. Sei so gut und bring sie mir hierher ins Pflegeheim!«

»Ja, klar«, antwortete Herman leise.

Der Polizist und Frau Grünholz wechselten einen Blick. Nebenan schlug Milchmann mit einem Huf gegen die Garagenwand.

»Was knallt da so?«, fragte Hermans Mutter. Aber im nächsten Moment hatte sie schon aufgelegt. In Hermans Brust stach etwas. So ungefähr musste sich eine Schussverletzung anfühlen. Schuss, Schmerz und vorbei.

»Was sind das hier für Haare auf dem Sessel?«, fragte der Polizist und hielt ein säbelkurzes weißes Pferdehaar in die Höhe, das er vom Sessel aufgeklaubt hatte.

»Die sind von meinem Vater«, erklärte Herman.

»Wie borstig«, sagte Frau Grünholz.

»Ich kann hier aber sonst nichts feststellen«, stellte der Polizist nun fest und wendete sich zur Haustür. »Leere Wohnungen, Kinder, die ohne Löffel aus Schüsseln essen, und Väter mit borstigem Haar sind nicht verboten. Aber sag bitte deiner Mutter, dass die Haltung von Tieren, die größer sind ALS UNGEFÄHR SO, im Stadtbereich unzulässig ist.« Er zeigte mit der Hand in Hüfthöhe. »Wenn ich hier größere Tiere ALS UNGEFÄHR SO aufgreife, muss ich sie aus dem Verkehr ziehen!«

»Was heißt das?« Auf Hermans Rücken bildete sich eine Gänsehaut, die so riffelig war wie der Stoff von seiner Kordhose.

Der Polizist drehte sich im Flur noch einmal zu Herman um, kniff ein Auge zu, hob die Faust, streckte den Zeigefinger aus und sagte: »Peng!«

»Heißt das etwa …?« Herman schluckte.

Der Polizist nickte. Dann hakte er Frau Grünholz unter und wendete sich zum Gehen. Gleich darauf fiel die Haustür ins Schloss.

Die Uhr zeigte halb drei. Es waren fünf Kilometer bis zur Arbeitsstelle seiner Mutter. Um halb vier würde sein Vater aus dem Büro kommen und in die Garage fahren wollen. Herman stöhnte. Da sah er den zwölften Pferdeapfel. Der lag scheinheilig auf der Sessellehne und drohte hinunterzukollern. Herman biss die Zähne zusammen. Er konnte sich jetzt nicht ablenken lassen, egal wovon.

Freistoß mit Fußnägeln

An einem Tag wie heute hätte es eigentlich stürmen müssen, allein schon wegen der schwarzen Wolken, die über Hermans Kopf aufgezogen waren. Aber es stürmte nicht. Das Wetter sah völlig harmlos aus. Es war sonnig und es war leichter Gegenwind. Hermans Haare kitzelten unter dem Fahrradhelm. Das lag daran, dass er so schwitzte, und das lag wiederum daran, dass er sich so sehr beeilte. Trotzdem wurde die Zeit knapp. Als er endlich das Altersheim erreichte, in dem seine Mutter arbeitete, zeigte seine Uhr fünf Minuten nach drei.

Herman nahm die Treppen in den siebten Stock und er kam völlig außer Atem in dem großen Raum an, den seine Mutter den »Tagesraum« nannte. Hier waren die gelben Vorhänge zugezogen, es herrschte Schummerlicht.

Hermans Mutter war eben dabei, einem alten Mann die Fußnägel zu knipsen.

»Guten Tag«, sagte Herman brav.

»Das ist Herr Feuerbach«, säuselte Hermans Mutter. »Er spricht nicht. Wahrscheinlich kann er dich auch nicht hören. Bitte leg die Geldbörse dorthin.«

Herman legte die Geldbörse dorthin und sah Herrn Feuerbach an. Hermans Mutter knipste gerade einen besonders kräftigen Fußnagel, beobachtete dessen Flugbahn und fing ihn mit der linken Hand auf.

Herr Feuerbach musterte Herman und atmete etwas Luft durch seine lange alte Nase ein. Hermans Mutter knipste einen weiteren Nagel ab. Dieser flog mindestens drei Meter weit, fast schon durch den halben Raum, und sie hechtete dahinterher wie ein emsiger Torwart. Der nächste Fußnagel von Herrn Feuerbach ging an die Latte. Er schnipste gegen die Decke, knipste zurück auf den Boden und flipste an der gegenüberliegenden Zimmerwand an die Fußleiste.

»Abseits!«, rief Hermans Mutter fröhlich. Sie

hatte nicht den Hauch einer Chance, den aufzufangen. Sie hatte schon ihre liebe Mühe, ihn überhaupt wiederzufinden. Sie zischte zwischen den Rollstühlen der alten Leute umher, wischte Blumenständer zur Seite und rutschte schließlich auf Knien an der Fußleiste entlang.

Da bewegte Herr Feuerbach ein ganz kleines bisschen die Lippen und sagte: »Du riechst nach Pferd.«

Herman flüsterte auch. »Sie können sprechen?«

»Phhrr ...«, sagte Herr Feuerbach. »Wenn ich es will. Wie heißt dein Pferd?«

»Milchmann«, flüsterte Herman.

»Ich hatte mal einen, der hieß Blödmann«, flüsterte Herr Feuerbach. »Schlauer Bursche. Wie steht es um Milchmann?«

»Er schlägt mit dem Fuß von innen gegen die Garage«, raunte Herman.

Herr Feuerbach nickte. »Er langweilt sich. Für Pferde ist Langeweile viel schlimmer als für uns Menschen. Du musst ihm Unterhaltung bieten. Oder ihn etwas arbeiten lassen. Er muss wissen,

dass das Leben spaßig ist. Und dass er gebraucht wird. Geht es ihm denn gut?«

»Er hustet ein bisschen«, antwortete Herman, »sonst hat er nichts. Er ist mir zugelaufen.«

»Gegen den Husten kannst du ihm das hier geben«, entgegnete Herr Feuerbach, griff in die Tasche seines Bademantels und holte etwas hervor, das in grünes Wachspapier eingewickelt war.

»Mann, ist das ein Mordsbonbon«, sagte Herman.

Herr Feuerbach nickte. »Das ist ein Pferdehustenbonbon gegen Pferdehusten. Früher habe ich die in meiner Schmiede selbst hergestellt nach einer geheimen Rezeptur. Dieser Pferdehustenbonbon ist der letzte. Hab ihn bestimmt schon zwanzig Jahre lang in der Tasche. War schon kurz davor, ihn an einen meiner Kollegen zu verfüttern, die husten alle wie verrückt. Aber dann hab ich es besser gelassen. Hab doch geahnt, dass ich den noch mal für ein Pferd brauchen würde.«

»Tja«, machte Herman. Er wollte eben Herrn Feuerbach die ganze lange Geschichte von Milchmann erzählen, da kam seine Mutter zurück und trug den Fußnagel triumphierend zwischen zwei Fingern. Herman stopfte den Pferdehustenbonbon schnell in seine Hosentasche.

»Nun lass Herrn Feuerbach in Ruhe«, sagte Hermans Mutter. »Der arme Alte hört nichts und sieht nichts. Und er bewegt sich auch nicht mehr. Nur seine Fußnägel wachsen noch.«

»Aber …«, machte Herman.

Da traf ihn der eisblaue Blick von Herrn Feuerbach und der Blick sagte beschwichtigend: »LASS NUR, SIE WEISS ES NICHT BESSER. UND GRÜSS DEIN PFERD VON MIR.«

»Mach ich«, entgegnete Herman und rannte hinaus. Ihm blieben noch 21 Minuten, bis sein Vater nach Hause kam. Und vorher musste er Milchmann verstecken.

Ein Schlauch, ein Loch, zwei böse Buben

Als Herman mit vollem Speed von Süden her in den Wahnsinnsweg einbog, näherte sich das kleine schwarze Auto seines Vaters von Norden her im Schneckentempo und sie kamen ungefähr gleichzeitig vor dem Haus an.

Hermans Vater streckte den Kopf aus dem Autofenster. »Geh mal von der Einfahrt runter und lass mich in die Garage. Ich muss mich schnell hinlegen. Ich glaube, ich hab mich bei dir angesteckt.«

Herman stand mit seinem Fahrrad in der Hand so steif da wie ein Denkmal. »Dein Auto ist staubig«, sagte er. »Lass es doch einfach auf der Einfahrt stehen. Ich wasche es für dich. Mit dem Schlauch. Und ganz vorsichtig!«

»Du willst WAS?«, fragte der Vater und runzelte die Stirn.

»Es ist besser, wenn das Auto heute Nacht draußen stehen bleibt«, sagte Herman. »Das Mondlicht ist gut für den schwarzen Lack. Es macht ihn noch schwärzer und schimmernder. Vor allem, wenn das Auto frisch gewaschen ist.«

In diesem Augenblick hörte Herman den Knall. Das Geräusch kam aus der Garage. Und es war kein einfacher Hufschlag. Es war so laut wie Donner.

»Es wird wohl noch ein Gewitter geben«, sagte Hermans Vater und blickte in den sonnigen Garten, über dem die Wolken allerdings rasend schnell dahinzogen. »Und nimm nicht so viel Wasser.«

Herman wartete, bis sein Vater seine Aktentasche ins Haus geschleppt hatte, dann zog er das Tor auf und spähte vorsichtig in die Garage. Komisch, dass sich seine Augen gar nicht erst an das Dunkel gewöhnen mussten.

Da sah Herman das Loch. Das Loch war ungefähr so groß wie ein Medizinball und kreisrund. Es war ein Loch in der Garagenwand. Sonnenlicht fiel von der Terrasse aus hindurch. Und

es gab keinen Zweifel: Milchmann hatte das Loch geschlagen. Mit dem Huf!

Milchmann stand betroffen neben seinem Werk und hielt den Kopf gesenkt. Seine sanften olivfarbenen Augen waren auf den Garagenboden gerichtet.

»Das ist doch wohl nicht wahr!«, presste Herman hervor. »Was wolltest du mit dem Loch? Rauskriechen? Du hast doch 'ne Meise. Oder wolltest du einfach nur ein bisschen rausgucken? Aber eines kann ich dir sagen: Da gibt es nichts zu gucken. Wir haben nur die kleine Terrasse und auf der ist auch nichts los!« Fast redete er schon wie sein eigener Vater, bemerkte Herman. Aber das machte ihn eher noch wütender. »Und jetzt geh gefälligst zur Seite. Du stehst auf unserem Schlauch!« Damit gab er Milchmann einen festen Knuff in die Seite und Milchmann zuckte zusammen und machte einen erschreckten kleinen Hopser.

»Was klappert denn da in der Garage?«, rief Hermans Vater von oben.

»Gar nichts klappert!«, rief Herman genervt zurück. »Ich habe nur den Schlauch so schnell abgerollt. Deswegen haben wahrscheinlich meine Knochen etwas geklappert.«

Herman zog den Schlauch nach draußen und Milchmann machte folgsam Platz.

Als Herman nach über einer Stunde das Auto zu Ende gewaschen hatte, stand Milchmann nach wie vor an derselben Stelle. Nur sein Kopf war jetzt noch etwas weiter gesenkt. Herman rollte den Schlauch wieder auf, schloss das Garagentor, trottete ins Haus und machte sich ein Butterbrot mit einem verunglückten Ritter darauf. Dann wischte er unschlüssig Staub, drückte den zwölften Pferdeapfel in den Blumentopf mit dem Kaktus und packte zuletzt noch seine Schultasche. Als er nach oben in sein Zimmer ging, hörte er schon die tiefen Atemzüge seines schlafenden Vaters.

Hermans Mutter kam erst gegen halb zehn nach Hause, hauchte Herman einen Kuss auf die Wange und verschwand im Elternschlafzimmer. Aus der Garage kam kein Mucks.

In dieser Nacht geschah etwas Seltsames mit Herman. Er träumte von einem Pferd und dann wachte er auf und stellte fest, dass er Durst hatte. Aber irgendetwas war mit dem Wasser im Badezimmer los. Nachdem er einen Schluck davon getrunken hatte, überkam ihn eine große Traurigkeit. Die Nacht war dunkel, und wenn sie auch kein Fenster im Bad hatten, so wusste er doch, wie es draußen war. Windig und schwarz. Genau genommen war es eine Nacht zum Durchheulen. Was hatte er Milchmann nur angetan?

Das kühle Wasser rann durch Hermans Kehle, und weil er so schnell trank, kam einiges von dem Wasser aus seinen Augenwinkeln wieder heraus. Er musste schlucken, um nicht richtig mit dem Weinen anzufangen. Da hörte er ein ganz leises Wiehern.

Das war Milchmann, der sich auch einsam und traurig fühlte. Als Herman sich vorstellte, wie Milchmann am Abend allein in der dunklen Garage gestanden hatte, wie sich das große Pferd über den kleinen Knuff erschrocken hatte und wie sich Milchmann dann betrübt mit dem Kopf zur Wand gestellt hatte, war es Herman ganz elend zu Mute.

Bestimmt hatte Milchmann Durst. Herman tappte leise in die Küche hinunter und holte die Salatschüssel von der Spüle.

»Bist du das da unten?«, rief Hermans Mutter. »Ich habe da so ein Geräusch gehört. Als ob jemand ums Haus herumtappt!«

»Das bin nur ich«, raunte Herman nach oben. »Und ich tappe nicht ums Haus herum, ich bin hier drinnen.«

Herman hatte die Schüssel zur Hälfte mit Wasser gefüllt und schlich damit durch den dunklen Flur zur Haustür, als er es auch hörte. Draußen knirschten Schritte. Und es ertönte ein metallisches Schnappen, original so, wie er sich das Spannen einer Pistole vorstellte. Aber vielleicht war es auch nur Frau Grünholz, die einen nächtlichen Spaziergang machte und ihre Handtasche auf- und zuschnappen ließ.

Herman spähte durch den Spion an der Haustür. In der Einfahrt standen zwei schwarz gekleidete Männer. In ihren Händen blitzten Pistolen. Der eine der Männer beugte sich etwas herab,

um Hermans Gartentor zu öffnen, der andere schaute die Straße hinunter.

In Hermans Adern gefror das Blut, und zwar die ganze lange Strecke hinunter bis zu den ausgestreckten Fußspitzen, auf denen er stand. Er fühlte sich wie ein Eiszapfen. Er konnte sich kaum noch bewegen.

Die Männer steuerten nun auf die Garage zu. Beide hielten immer noch die Pistolen im Anschlag. Herman sah, wie sie einander Zeichen gaben.

Herman überlegte, ob die Garage überhaupt abgeschlossen war, aber er konnte sich nicht mehr erinnern. Die Schüssel mit dem Wasser immer noch in den Händen schlich Herman ins Wohnzimmer und öffnete vorsichtig die Terrassentür. Draußen waren die Steine jetzt kühl geworden. Der Mond blinzelte hinter einer Wolke hervor. Trotzdem konnte Herman das Loch in der Garagenwand kaum erkennen.

»Ich bin es!«, flüsterte er.

In diesem Moment schob sich bereits Milchmanns weiche Nase zu ihm heraus und Milchmann pustete etwas warme Luft an Hermans ausgestreckte Hand.

»Sei ganz leise«, flüsterte Herman, »da draußen sind zwei unheimliche Männer.« Er schob die Wasserschüssel durch das Loch in die Garage und kroch selbst hinterher. Es war stockduster hier drinnen, aber warm und staubig. Milchmann tastete mit der Nase nach der Schüssel und begann sofort gierig zu schlabbern.

»Dadrinnen schlabbert was«, sagte nun eine tiefe Stimme, die aus dem Vorgarten kam. »Das klingt mir ganz nach einem Pferd.«

»Vielleicht hat nur jemand vergessen, seinen Gartenschlauch abzustellen«, entgegnete eine andere tiefe Stimme.

»Und es RIECHT hier nach Pferd! Schau doch mal durch die Ritze da unten! Kannst du was erkennen?«

»Da liegt eine Schlange!« Jetzt zitterte die zweite tiefe Stimme.

»Unsinn. Das wird nur der Gartenschlauch sein«, antwortete die erste tiefe Stimme.

»Lass uns einfach das Schloss aufschießen

und nachschauen. Wozu haben wir die Pistolen denn sonst mitgeschleppt?«, maulte der andere Mann.

»Was wollen die von dir?«, flüsterte Herman.

»Hmm«, machte Milchmann. Und das hieß: »WEISS ICH DOCH NICHT, MANN.«

»Hast du vielleicht was ausgefressen?«

»Ich glaube, dadrinnen spricht jemand«, ertönte nun die Stimme des einen Mannes von draußen.

Der andere Mann schien einen Moment lang zu überlegen. Dann antwortete er mit seiner tiefen lauten Stimme: »Das klingt mir allerdings nicht nach einem Pferd.«

»Lass uns schnell abhauen, bevor wir entdeckt werden«, entgegnete der andere. »Lass uns woanders suchen.«

Einen Moment später sank die Gartentür mit einem Seufzer ins Schloss und Herman spürte, dass die Gefahr vorbei war.

»Hattest du auch solche Angst?«, fragte Herman.

Da machte Milchmann leise »Pphhrr«, und das hieß: »KEINE SPUR, MANN.«

»Angeber«, entgegnete Herman. »Willst du einen Hustenbonbon?«

Der getürkte Holländer

Herman hatte die Nacht über bei Milchmann in der Garage verbracht. Als es Morgen wurde, kroch er mit seinen steifen Knochen und der leeren Schüssel aus dem Loch in der Wand der Garage ins Freie und schlüpfte durch die Terrassentür zurück ins Wohnzimmer. Hermans Mutter stand in der Küche und kochte Tee.

»Morgen«, sagte Herman.

»Komisch«, sagte sie. »Kommst du von oben oder kommst du von draußen? Ich hätte schwören können, dass du von draußen kommst ...«

»Wo ist Vater?«, fragte Herman.

»Er hat leichtes Fieber«, entgegnete Hermans Mutter. »Aber er will sich unbedingt aus dem Bett quälen und wenigstens das Auto in die Garage fahren. Er ist so pflichtbewusst. Der Gute. Er bleibt heute natürlich zu Hause.«

Herman spürte, wie das Blut aus seinem Kopf wich und sich in den Füßen sammelte. »Das kann er nicht. Er muss doch zur Arbeit. Und überhaupt.«

»Schön, dass du so besorgt bist um Vater«, entgegnete seine Mutter und lächelte Herman an. Dann legte sie sich auf den Teppich im Wohnzimmer, um ihre Yogaübungen zu machen.

Herman schlich nach oben in sein Zimmer und hoffte auf eine Eingebung. Er zog sich an und verbrachte die nächste Zeit damit, auf dem Bett zu sitzen und alle zehn Sekunden auf die Uhr zu sehen. Nach zehn Sekunden hatte er das Gefühl, dass von unten ein Schnüffeln zu ihm herauf-

drang. Nach zwanzig Sekunden hörte er, wie seine Mutter »Puh!« rief. Nach dreißig Sekunden war aus dem »Puh« ein »Iiih« geworden, das sich kurz darauf in einen Schrei verwandelte.

»Hier riecht es nach Tier!«, rief Hermans Mutter von unten. »Ich glaube, Kamel.«

»Unfug«, rief Hermans Vater von oben.

»Dann muss es Tiger sein. Indischer Tiger«, rief jetzt Hermans Mutter, die gerne auf etwas beharrte.

»Du machst zu viel Yoga«, brummte Hermans Vater.

»Vielleicht sollte ich besser zur Arbeit gehen«, rief Hermans Mutter zurück. Kurze Zeit

später hörte Herman, wie die Haustür zuknallte, dann zeigte das eiernde Geräusch ihres Fahrrades an, dass Hermans Mutter auf die Straße einbog.

Seit Hermans Mutter wieder angefangen hatte zu arbeiten, sollte er sich selbst schulfertig machen. Kein Problem. Normalerweise verstrich die meiste Zeit des Morgens damit, dass Herman sich mit Weihnachtsausstechern ein paar Sterne aus einer Käsescheibe ausstach und sie auf die sternchenförmigen Scheibchen legte, die er vorher aus Toast ausgestochen hatte. Die Sternenbrote nahm er mit zur Schule. Die Käsescheiben mit den sternchenförmigen Fenstern und die dazu passenden sternchenförmig gelochten Brotscheiben hingegen aß er gleich morgens. Dabei schaute er gern ein bisschen fern. Morgens gab es immer Filme für kleine Kinder. Die eigneten sich besonders gut, um sie durch sternchenförmige Löcher hindurch anzusehen. Western hingegen hatten durch die Käsescheiben hindurch wenig Sinn. Wenn man einen Western durch ein sternchenförmiges Loch hindurch ansah, konnte es vorkommen, dass man bei einem Schusswechsel keinen der beiden Cowboys sah, sondern nur den staubigen Boden zwischen ihnen. Einen Western konnte man bestenfalls durch ein Loch hindurch ansehen, das man mit einem schlangenförmigen Ausstecher gestochen hatte. Aber so einen Ausstecher hatten sie nicht.

Heute indes hatte Herman das Gefühl, dass die Zeit nicht zum Sternchenausstechen reichen würde. Sie würde nicht einmal zum Fernsehgucken reichen. Und auch zu sonst nichts. Zeit war plötzlich knapp geworden in seinem Leben.

Herman füllte Wasser in die Salatschüssel und machte sich auf den Weg in die Garage.

»Wohin gehst du?«, rief Hermans Vater von oben, als Herman leise die Haustür öffnete. »Ich stehe gleich kurz auf und fahre das Auto in die Garage.«

»Ganz ruhig!«, rief Herman schnell zurück. »Immerhin hast du leichtes Fieber.«

Als Herman vorsichtig die Garage öffnete, erschrak er ein wenig. Milchmann stand ganz nah am Garagentor. Er sah unglücklich aus. Als ein

Sonnenstrahl sein langes Gesicht traf, hob er den Kopf ein wenig. Dann trank er begierig aus der Salatschüssel und Herman musste noch zweimal in die Küche und wieder zurück laufen, bis Milchmanns Durst gestillt war. Immerhin hustete er nicht mehr. Der riesige Hustenbonbon schien geholfen zu haben. Milchmann machte einen Schritt auf die Einfahrt und sah Herman auffordernd an.

»Was klappert denn da auf der Einfahrt?«, rief Hermans Vater von oben.

»Ich spiele, dass ich Holländer bin und Holzschuhe anhabe«, antwortete Herman von unten.

»Wann wirst du überhaupt mal groß?«, brummte Hermans Vater und seiner Stimme waren das leichte Fieber und die schwere Enttäuschung deutlich anzumerken.

Die Straße lag in sonniger Stille. Die Idee streifte ihn wie ein lauer Sommerwind. Es war riskant, dachte Herman. Aber die Sache war ohne Ausweg. Hier in der Garage konnte Milchmann über Tag nicht bleiben. Wahrscheinlich war es eine Frage von Minuten, wann Hermans Vater aufstehen und den Wagen hineinfahren würde. Dann würde er Milchmann entdecken und ihn achtkantig hinauswerfen.

Es gab nur einen einzigen Ausweg. Er musste Milchmann mit zur Schule nehmen.

Das Wunder im
Wahnsinnsweg

In der Ferne radelte ein Postbote vorüber. Eine alte Frau ließ sich von ihrem Hund die Straße entlangziehen. Irgendwo wurde ein Fenster aufgemacht. Dann war es wieder still im Wahnsinnsweg.

Hermans Problem Nummer eins war die Salatschüssel. Denn die Salatschüssel musste mit. Er probierte sie unter dem rechten Arm zu tragen. Anstrengend. Unter dem linken Arm. Noch anstrengender. Wie machten das eigentlich die Cowboys, wenn sie durch die Prärie ritten? Gab es überall Flüsse, Quellen und Seen, an denen die Pferde trinken konnten? Oder Dörfer mit Saloons und Pferdetränken? Und was war mit den Rittern? Woraus tranken die Pferde der Ritter während der Beutezüge? Ob die Ritter einfach einen Teil ihrer Rüstung als Trinkgefäße für ihre Pferde verwendeten?

Herman wusste es nicht und durch Überlegungen kam er auch nicht weiter. Es half nichts. Er musste sich benehmen wie ein Mann. Und handeln. Deswegen setzte er sich die Salatschüssel als Hut auf. Sie reichte ihm weit über die Ohren. Aber sonst passte sie gut.

Er öffnete vorsichtig die Gartenpforte. Dann zog er Milchmann leicht am Halfter, damit er sich etwas schneller bewegte. Aber Milchmann brummte nur und machte dazu sein langes Gesicht. Er setzte bedächtig einen Huf vor den anderen.

Bewegte sich nicht die Gardine dort drüben bei Frau Grünholz? Rief sein Vater ihm noch etwas hinterher? Bis sie einigermaßen außer Sichtweite waren, starb Herman tausend Tode.

Hermans Schulweg war weit, aber heute kam er ihm besonders weit vor. Ein zarter Frühsommerduft lag in der Luft. Auf den Gartenzäunen hüpften die Vögel. Heute würde es warm werden. Herman spürte die nahende Hitze bereits unter seiner Salatschüssel.

Milchmann ging folgsam neben Herman her. Auch noch, als Herman irgendwann der Arm lahm wurde und er das Halfter losließ. Milchmann klapperte einfach weiter den Bürgersteig entlang. Klapp, klapp, klapp, das Geräusch war so langsam, dass es Herman zu nerven begann. Es würde nicht mehr lange dauern, bis sich überall die Türen öffneten und Schulkinder von ihren Müttern herausgeküsst wurden. Dann würden sie entdeckt werden.

»Nun bummele nicht so«, sagte Herman erschöpft, »wir müssen weiter, solange noch keine Leute auf der Straße sind.« Herman versuchte mit der Zunge zu schnalzen. Das Geräusch geriet lauter, als er vermutet hatte. Milchmann blieb stehen und sah Herman interessiert an. Dazu entblößte er seine gelbe obere Zahnreihe und legte den Kopf leicht schief. Ganz klar. Das hieß: »HÄH?«

Es war ihm deutlich anzumerken, dass er noch müde war. Und auch mit seiner Laune stand es nicht zum Besten. Die Nacht in der Garage war ihm wohl wirklich nicht so gut bekommen. Es war ganz auffällig: Milchmann war quakig.

»Tut mir leid, dass ich dich gehetzt habe«, sagte Herman in einem süßlichen Tonfall und versuchte Milchmann anzulächeln, obwohl das wegen der Länge von Milchmanns Gesicht und wegen der seitlich stehenden Augen nicht leicht war. Herman behalf sich, indem er mit zwei Ausfallschritten vor Milchmann hin- und herschwankte und kurz in jedes der beiden Augen lächelte. Tatsächlich setzte Milchmann sich wieder in Bewegung. Langsam nur, aber immerhin.

Auf der Hauptstraße fuhren einige voll besetzte Busse herum. Als Herman den Knopf der Fußgängerampel drückte, stand ein Blinder neben ihm mitsamt seinem Hund. Alle voll besetzten Busse hielten an, um Herman mit seiner Salatschüssel auf dem Kopf, Milchmann, den Blinden und seinen Hund über die Straße zu lassen. Aber seltsamerweise guckte niemand. Konnten sie ihn nicht sehen? Oder trauten sie ihren Augen nicht? Herman glaubte, dass ein kleiner Junge aus einem vorbeifahrenden Auto ihn kurz ansah und dann schnell wieder wegschaute.

Genauso im Park, den sie jetzt durchqueren

mussten. Zwei- oder dreimal wurden sie von Joggern überholt. Aber keiner schenkte Herman oder Milchmann auch nur einen Hauch von Aufmerksamkeit.

Jenseits des Hügels an einem kleinen Bach war die alte Schmiede. Sie stand seit Jahren leer und Herman schauderte es immer ein wenig, wenn er hier vorbeigehen musste. Heute aber nicht. Ob es daran lag, dass er UNSICHTBAR geworden war? Milchmann hob den Kopf und wieherte. Er hätte sich die Schmiede gern ein wenig näher angesehen, das spürte Herman. Es war halb acht.

»Jetzt komm endlich«, entfuhr es Herman.

»Pphhrr«, machte Milchmann und er machte es so kräftig, dass Hermans Haare hochwehten. Logisch, das hieß: »NICHT IN DIESEM TON, KUMPEL.«

»Alles klar, tut mir leid«, entgegnete Herman. Genau genommen WOLLTE er es entgegnen. Aber plötzlich hatte es ihm die Sprache verschlagen. Er riss die Augen auf und starrte. Denn unmittelbar vor ihm auf dem Weg lief Gossenstein, der strengste, größte und humorloseste Lehrer der ganzen Schule. Herman hatte ihn in Mathe. Gleich in der ersten Stunde. Und jetzt kam er ihnen direkt entgegen. Er schleppte zwei Tüten, aus denen oben lange Grasbüschel herausschauten. Milchmann reckte den Hals und schlabberte sich mit seiner langen Zunge um die Lippen.

»Hör auf, Faulpelz«, wisperte Herman. »Wenn du Gras willst, pflück dir doch selbst welches.«

Gossenstein war früher einmal Basketballer gewesen. Noch heute kamen ihm seine irrsinnig langen Arme zugute, wenn er vom Lehrerpult aus bei Paul Polter in der dritten Reihe in die Schultasche greifen und den Gameboy herausfischen wollte. Oder wenn er im Sitzen etwas von der Tafel wischen wollte, was ganz oben stand.

Jetzt kam Gossenstein von schräg vorne, genau auf Herman zu. Gossenstein trabte. Und da er auch besonders lange Beine hatte, näherte er sich Herman fast in Lichtgeschwindigkeit. Bald war er keine zehn Meter mehr von Herman und Milchmann entfernt.

Hermans Herz sackte in seine Hose. Jetzt würde Gossenstein ihn zur Rede stellen. Doch

das passierte nicht. Gossenstein zog im Vorbei-
laufen ein Büschel Gras aus einer seiner Tüten,
reichte es Milchmann, nickte beiden freundlich
zu und verschwand. Es war eine Sache von Sekunden.

Herman und Milchmann waren stehen geblieben. Milchmann schmatzte. Das hieß: »KLASSE,
NETTER TYP.« Herman biss sich auf die Lippen. Und das bedeutete, dass er Gossenstein ver-
dächtig fand.

Milchmann ist nicht allein

Die Schule lag am Fuß des kleinen Hügels und man konnte schon von weitem erkennen, dass außer demnächst Herman noch niemand da war. Der Schulhof gähnte vor Leere und war voller Staub. Durch die vielen unbespielten Turngeräte und das Fußballtor mit dem schlaff herabhängenden Netz sah er besonders leer und staubig aus, fand Herman.

Die beste Stelle war hinter der Turnhalle, dachte er. Dort gab es eine kleine borstige Wiese, die an diesem Morgen von einer weichen Sonne beschienen war. Hier wuchsen rosa Klee und Butterblumen zwischen dem knackigen Gras. Und das Allerbeste war: Hier kam niemals jemand hin. Denn außer der borstigen Wiese, dem Klee und den Butterblumen war hier NICHTS, von der hinteren Steinmauer der Turnhalle mal abgesehen. Hier würde Milchmann den Vormittag über gut aufgehoben sein und niemand würde ihn entdecken.

Herman riss sich die Salatschüssel vom Kopf, rannte zum Trinkbrunnen und füllte etwas Wasser in die Schüssel, dann trug er sie, schwapp, schwapp, zu Milchmann hinter die Turnhalle zurück. Milchmann hatte noch keinen Zug genommen, als schon die ersten Kinder auf dem Schulhof eintrafen. Herman klopfte Milchmann schnell noch den Hals, dann machte er, dass er wegkam.

Babir stand auf der Schultreppe, schälte eine Apfelsine und wartete auf Herman. Trotz des schönen Frühsommerwetters trug er einen Schal und eine Mütze. Die Sache mit dem leichten Fieber hatte Babirs Mutter wohl doch zu denken gegeben.

»Was war das gestern mit dem Pferd?«, fragte Babir.

»Gestern ist gut. Ich hab es immer noch. Jetzt nicht in die Richtung gucken. Es steht hinter der Turnhalle.«

»Wie heißt es?«, fragte Babir.

»Milchmann«, antwortete Herman. Und indem er den Namen aussprach, wurde ihm ganz warm im Bauch.

»Klasse Name«, urteilte Babir. »Sonst hätte ich so etwas wie Schwarzer Teufel vorgeschlagen.«

»Er ist aber nicht schwarz. Er ist weiß mit Grau.«

Babir nickte geduldig. »Wie jemand heißt und wie er aussieht, das sind zwei völlig verschiedene Dinge.«

Herman zog die große Schultür hinter ihnen zu. »Hoffentlich hält Milchmann den Vormittag über durch.«

»Bestimmt kein Problem«, antwortete Babir. »Er wird gar nicht merken, dass es Vormittag ist. Tiere sind dumm.«

»Milchmann aber nicht«, murmelte Herman so leise, dass er es selbst kaum hören konnte. Er wollte sich jetzt nicht auch noch mit Babir streiten.

In der Klasse war es so ruhig wie nie. Selbst

Gossenstein brütete lange schweigend über dem Klassenbuch. Dann klatschte er es plötzlich zu und gab ihnen endlich eine Matheaufgabe.

In der Pause überlegte Herman sich, ob er kurz nach Milchmann sehen sollte, ließ es dann aber lieber. Bloß kein Aufsehen erregen.

Als die letzte Stunde endlich zu Ende war, versuchte Herman, extra lange beim Packen seiner Schultasche herumzutrödeln. Er räumte die Mathesachen hinten aus und vorne wieder ein. Zog den Reißverschluss der Bleistifttasche auf und wieder zu. Legte alle Bücher auf den Tisch und ordnete sie der Größe nach wieder in die Tasche. Das alles machte er sonst zwar auch. Aber heute machte er es extra. Er wollte Zeit gewinnen. Damit der Schulhof schon leer war, wenn er Milchmann abholte.

Zum Glück schienen alle anderen Kinder es sehr eilig zu haben.

Babir stand neben ihm und trat von einem Fuß auf den anderen. »Los, Mann, ich will jetzt das Pferd sehen.«

Der Schulhof lag in friedlichem Mittagslicht.

Niemand weit und breit. Babir biss von einer Müslistange ab und trottete hinter Herman her.

»So, das ist er also dann«, wollte Herman gerade sagen. Aber er kam nur bis »also«, das »dann« blieb in seiner Kehle stecken.

Babir hinter ihm hörte mit dem Kauen der Müslistange auf. Herman riss die Augen weit auf. Auf der borstigen Wiese hinter der Turnhalle stand Milchmann. Und neben ihm stand noch ein Pferd. Das Pferd war rostbraun mit einer schwarzen Mähne. Und es war mindestens genauso groß und genauso dick wie Milchmann.

Die beiden Pferde standen dicht aneinander gedrängt und schauten Herman trotzig an.

»Irre«, sagte Babir. »Hattest du EIN Pferd gesagt oder ZWEI?«

»EINS«, antwortete Herman matt. »Wo kommt das andere her?«

»Pphhrr«, machte Milchmann.

»Was heißt ›ICH WEISS ES NICHT‹? Was soll das? Hab ich nicht mit dir schon genug Arbeit?«

»Du sprichst mit ihm?«, fragte Babir kauend

und nestelte eine weitere Müslistange aus dem Papier.

Herman machte einen Schritt auf das rostbraune Pferd zu und stupste es mit dem Finger an. Schließlich konnte man nicht wissen, ob es vielleicht doch nur eingebildet war. Aber das Pferd tat ihm nicht den Gefallen, wie eine Seifenblase zu platzen. Es sah nur genervt auf Hermans Finger und drängte sich dichter an Milchmann.

»Ob das braune ein weibliches Pferd ist?«, fragte Babir mit Kennermiene und biss von seiner Müslistange ab. »Glaubst du, dass es Milchmanns Freundin ist?«

»Spinnst du? Milchmann ist ein Pferd!« Herman spürte, wie Empörung in ihm hochkochte. »Pferde haben keine Freundinnen. Genau wie Cowboys oder Ritter, die haben auch keine.«

»Also ist es kein Pärchen oder so etwas?« Babir dachte so stark nach, dass er wieder mit dem Kauen aufgehört hatte.

Und dann spürte Herman, dass jemand hinter ihm stand. Aber das war nicht Babir. Babir war ein wenig in die Hocke gegangen und versuchte unter die beiden Pferdeleiber zu schauen.

»Soso«, sagte eine kellertiefe Stimme. »Das ist ja überaus interessant!«

Herman musste sich nicht erst umdrehen, um zu erkennen, dass es Gossenstein war.

»Das andere ist nicht meins«, stotterte Herman. »Damit hab ich nichts zu tun. Ich hatte nur das grau-weiße, ehrlich.«

Die borstige Wiese begann sich um Herman zu drehen. Jetzt war alles aus. Herman schwante, was jetzt kommen musste. Jetzt würde Gossenstein ihn endgültig bei seinen Eltern anschwärzen, beim Rektor, bei der Polizei … und seine Zeit mit Milchmann wäre vorbei. »Mir egal, was Sie mit mir machen. Aber wenn Sie Milchmann haben wollen, müssen Sie ihn sich schon holen«, sagte plötzlich eine drohende Stimme, die aus Hermans Mund kam. Und damit drehte er sich um und erhob die Fäuste gegen Gossenstein.

»Reg dich wieder ab«, sagte Gossenstein und grinste. Dann griff er in seine Aktentasche und

holte eine Möhre heraus, die er in zwei Stücke brach. Das rostbraune Pferd schnappte die größere Hälfte von seiner Hand. Milchmann ließ sich nicht lange bitten und holte sich die kleinere Hälfte.

»Passen Sie bloß auf, dass Milchmann Sie nicht beißt«, sagte Herman. Und zu Milchmann sagte er leise: »Verräter!«

»Kein Problem«, ließ Gossenstein sich vernehmen. »Ich hab ihn in der Pause schon gefüttert. Hätte allerdings nicht gedacht, dass er dir gehört.«

»Pphhrr …«, machte Milchmann. Und es war klar, das hieß: »WIESO EIGENTLICH NICHT, DU TAFELTROTTEL? TRAUST DU HERMAN DAS ETWA NICHT ZU?«

»Schon gut, Alter«, sagte Herman und klopfte beschwichtigend Milchmanns Hals. Babir machte es ihm sofort nach.

Sie standen eine Zeit lang herum und klopften die Hälse und die Flanken der Pferde, dann steckte Herman die Hände in die Hosentaschen und sagte: »Er ist mir zugelaufen.«

Gossenstein nickte nur. »Iverson ist mir auch zugelaufen.«

Er wartete eine Weile und ließ Herman und Babir ein bisschen Luft schnappen. Dann streichelte er Iversons Nase und sagte: »Hier passieren in den letzten Tagen sehr merkwürdige Dinge. Lauter Pferde tauchen plötzlich auf. Der kleine Jegor aus der zweiten Klasse hat auch eins. Und Paul Polter ebenfalls. Ein großes schwarzes ist bei Helen in der Fünften gelandet. Insgesamt sind es zehn oder elf Pferde, vielleicht auch zwölf. Sie sind alle in der Nacht zum Sonntag gekommen und leben seither bei den Kindern in Garagen, Kellern und in Gartenhäuschen. Sie sind bestimmt irgendwo ausgebüxt und werden vermisst.«

»Milchmann war aber erst Montagmorgen da«, sagte Herman trotzig, »er gehört also nicht zu den Vermissten.«

Es war ihm nicht wohl im Magen. Vielleicht lag es daran, dass er sich heute kein sternchenförmiges Schulbrot gemacht hatte. Er hatte überhaupt kein Schulbrot mit, nicht einmal ein normales, viereckiges. Das war wahrscheinlich sein Fehler. Denn wenn er jetzt vom Schulbrot abbeißen könnte, würde die Kraft in seine Zellen zurückkehren. Dann könnte er ein bisschen mit den Muskeln spielen. Oder cool mit den Armen schlenkern. Und zumindest hätte er dann nicht das Gefühl, dass ihm die ganze Sache ENTGLEITEN würde. Und dass er sich von Milchmann bald verabschieden müsste.

Herman fühlte sich wieder, als ob jemand auf ihn geschossen hätte. Schuss, Schmerz und vorbei. Diesmal musste er sogar noch schlucken, damit er nicht anfing zu weinen. Und das vor Babir.

Babir sah Gossenstein interessiert an. »Ich glaube nicht, dass sie von einer Weide oder so ausgerissen sind«, sagte er dann langsam. »Es muss irgendetwas anderes mit ihnen los sein.«

»Unfug«, sagte Gossenstein und schlenkerte seinerseits cool mit seinen langen Armen. »Ihr lest zu viel!«

Die Prärie in der Stadt

»Was futtert denn eigentlich so 'n Pferd?«, fragte Babir und öffnete im Gehen die Plastikdose
aus seinem Rucksack. »Sesamkuchen wohl nicht,
oder?« Er biss ein großes Stück ab und verstaute
die Dose wieder in seinem Rucksack.

Sie gingen durch den Park. Gossenstein führte
Iverson voraus. Milchmann und Herman trotte-
ten hinterher, während Babir ihnen in einigem
Abstand folgte. Immerhin war es wichtig, die
Pferde vom Schulgelände herunterzubekommen,
bevor der Hausmeister das Tor abschloss. Im
Park würden die Pferde noch am wenigsten auf-
fallen.

»Als ich die Rosen gesehen habe, wusste ich
Bescheid«, sagte Gossenstein.

»Wieso Rosen?«, fragte Herman.

»Weil sie in der ganzen Stadt so prächtig blühen. Du hast sicher auch die Pferdeäpfel im Garten vergraben, oder?« Gossenstein wartete die Antwort nicht ab. »ALLE haben das getan. Alle, denen Pferde zugelaufen sind. Das war für mich der erste Hinweis.«

»Wirkt der Dünger wirklich sofort?«, fragte Babir.

»Wenn sie vorher keinen hatten, dann schon«, antwortete Gossenstein. »Die Rosen in dieser Stadt waren praktisch ausgehungert. Wenn sie dann mal was kriegen, geht es ruck, zuck.«

Hoffentlich nicht überall so schnell, dachte Herman. Keine Ahnung, wie sein Vater reagieren würde, wenn aus ihrem Rosenbeet mit den drei dünnen Blumen plötzlich ein dichtes Blütenmeer geworden wäre. Wahrscheinlich würde Hermans

Vater das ÜBERTRIEBEN finden, vermutete Herman. Und dann würde er der Sache auf den Grund gehen wollen.

»Und was machen wir nun? Bei uns in der Garage kann Milchmann jedenfalls nicht noch eine Nacht bleiben«, sagte Herman. Wenn Gossenstein schon so schlau war, dann sollte er jetzt mal sagen, wohin sie die Pferde bringen konnten.

Sie banden die Pferde an eine Bank und setzten sich selber drauf. Herman fand es seltsam, neben seinem Mathelehrer im Park auf einer Bank zu sitzen und ein Problem zu lösen. Unter einem Baum lag ein Mann mit einem aufgeklappten Roman auf dem Gesicht und schlief. Oder er war tot. Es war mittagsstill im Park.

»Tja, Leute«, sagte Gossenstein nach einer Weile. »Dann hilft es wohl nichts.« Er blinzelte versonnen und irgendwie traurig zu den Tieren hinüber.

In Hermans Brustkorb bildete sich wieder das Gefühl, das er jedes Mal vor den Schussverletzungen hatte. Gossenstein sah gar nicht gut aus. Und die Lage, in der sie steckten, auch nicht. Babir

schwieg und malte mit der Schuhspitze ein indisches Zeichen in den Kies.

»Es ist vorbei«, jammerte Gossenstein. »Ich jedenfalls kann mir von meinem armseligen Lehrergehalt das Pferdefutter nicht leisten. Meine Frau glaubt, dass ich eine Krise habe, nur weil ich gestern und heute insgesamt fünf Kilo Äpfel in mein Arbeitszimmer geschleppt habe. Sie fragt mich auch dauernd, wie ich mich fühle. Und ob ich sie noch liebe.« Gossenstein seufzte. »So geht das nicht weiter.«

»Und was bedeutet das?«, fragte Herman beklommen.

Gossensteins Stimme zitterte jetzt ein bisschen. »Es bedeutet, dass wir eine Lösung finden müssen«, sagte er. »Eine artgerechte Lösung.«

Herman stand von der Bank auf und starrte Gossenstein an. Sein Körper wurde schwerer und schwerer, und die Welt drehte sich um ihn, als würde er sich gleich in den Boden schrauben.

»Artgerechte Lösung? Was heißt das?«, fragte Babir unterdessen und suchte in seinem Rucksack nach etwas Essbarem.

Vielleicht hätte er in Biologie besser aufpassen sollen, überlegte Herman. Obwohl sie im Unterricht leider nur über Tiere gesprochen hatten, die winzig klein waren. Herman hoffte, dass er später einmal auf eine Schule gehen könnte, auf der auch größere Tiere durchgenommen wurden.

Babir hatte einen Rest von einem Rosinenbrötchen entdeckt und stopfte sich den Brocken in den Mund. »Warum machen wir es nicht wie die Cowboys?«, sagte er lässig.

An die Cowboys versuchte Herman die ganze Zeit NICHT zu denken. »Die Cowboys jagen ihre Pferde einfach weg«, flüsterte er und jedes Wort brannte in seinem Mund wie Feuerwasser. »In den unendlichen Weiten der Prärie können sie dann ein Leben in Freiheit führen.« Er schluckte.

Babir sah ihn aufmerksam an. »Das macht so ein Cowboy natürlich nur, wenn er keine andere Lösung mehr weiß. Schätze mal, das geht uns jetzt ähnlich.«

Sie bemerkten, dass Gossenstein sich eine Träne aus dem Augenwinkel wischte. »Der Stadtpark ist nicht die Prärie«, murmelte der Lehrer. »Auch wenn man sich hier manchmal so vorkommt.«

Milchmann schien auch etwas sagen zu wollen. Unter dem Vorwand, noch besseres Gras entdeckt zu haben, rückte er ein wenig näher an Herman heran. Zwei Zentimeter mehr und er wäre auf Herman getreten und hätte ihn platt gedrückt wie eine Briefmarke.

In diesem Moment spürte Herman, dass alles von ihm abhing. Der Mathelehrer war mit seinem Latein am Ende. Und Babir auch.

»Ganz genau. Wir müssen sie einfach wegjagen«, sagte Herman mit fester Stimme. »Die Pferde werden verscheucht und dann führen sie ein freies Leben als Wildpferde. Das ist eine artgerechte Lösung. Das ist das Beste für sie.« Sein Körper und speziell sein Herz wurden immer schwerer.

»Unser Stadtpark ist genau ein viertel Quadratkilometer groß«, erklärte Gossenstein. »Auf jedem Quadratmeter leben bereits mehr als zehntausend Tierarten.«

Herman rollte mit den Augen. »Ja, Ameisen und Käfer und so. Aber doch keine Pferde.«

Babir hatte ein hart gekochtes Ei gefunden, das er bedächtig schälte. Gossenstein zuckte die Schultern. Dann sah er Herman mit einem merkwürdigen Ausdruck an. »Die Leute, die was von Pferden verstehen, sagen: WIRF DEIN HERZ VORAUS UND DEIN PFERD SPRINGT IHM HINTERHER.«

Herman fühlte jetzt schon, wie sein Herz schmerzte, auch ohne Werfen.

»Vielleicht hol ich noch das Meerschweinchen von meiner Schwester«, überlegte Babir. »Dann könnte auch jemand MEINEM Herzen hinterherspringen.«

»Ich weiß wirklich nicht ein noch aus, Kinder«, sagte Gossenstein, schüttelte verzweifelt den Kopf und barg sein Gesicht in den Händen. »Hätte ich doch am Sonntagmorgen nur nicht die Tür aufgemacht, als es draußen schnaubte. Aber ich dachte, dass das meine Frau ist, die vom Joggen zurückkommt.«

Herman hörte es kaum. Er war damit beschäf-

tigt, sich in einen mutigen Cowboy hineinzuver-
setzen. Babir spürte wohl, wie schwer das war,
und hielt mit Kauen inne. Da spannte Herman
plötzlich all seine Muskeln an, streckte die Hand
aus, band Iverson los und klopfte ihm auf den dicken Hintern. Und ehe er sich's versah, machte
seine Hand das Gleiche bei Milchmann. Beide
Pferde schauten einander verblüfft an. Dann tat
jedes einen Hopser und trabte tatsächlich los.

Sie liefen die Anhöhe hinauf und an der Seite
wieder hinunter. Eine Weile sah Herman sie noch,
wie sie einander unter den blühenden Bäumen
jagten. Ihre Mähnen und Schweife wehten. Dann
fiel Milchmann in einen fliegenden Galopp, Iverson schoss hinterher und wenig später waren sie
aus Hermans Sichtfeld verschwunden.

»Mann«, sagte Babir und wischte sich die Hände an der Jeans ab. »Das war was! Die beiden
wären wir jetzt schon mal los. Die anderen aus
der Schule könnten ihre Pferde hier auch gut frei-
lassen.«

»Und jetzt?«, fragte Herman kläglich, um zu
sehen, ob er überhaupt noch sprechen konnte.

Vielleicht war er auch aus Kummer zu Staub und Schweigen zerfallen.

»Jetzt gehen wir alle nach Hause und machen unsere Schularbeiten«, entgegnete Gossenstein nicht ohne einen Hauch von Boshaftigkeit. »Und dann versuchen wir die Pferde zu vergessen.« Er seufzte.

Die Flucht nach oben

Die Kinder gingen schweigend nebeneinanderher in Richtung Wahnsinnsweg, als sie plötzlich ein seltsames lautes Geräusch hörten. Seltsame laute Geräusche waren im Wahnsinnsweg völlig unüblich, deswegen öffneten sich auch hier und da die Fenster und Türen und einzelne Bewohner schauten die Straße hinunter.

Das Geräusch war ein tiefes Brummen, das zudem immer tiefer wurde. Komisch, dachte Herman, klingt fast wie ein großer Lastwagen, nur lauter. Und dann sah er ihn. Es war ein RIESIGER Lastwagen. Die Steinplatten auf dem Gehweg begannen zu zittern. Er überholte die Kinder und hielt in der Ferne; soweit man das sehen konnte, war es genau vor Hermans Haus.

»Equ-Frost«, buchstabierte Herman die riesi-

gen Lettern an der Seite des Lasters. »Komischer
Name.«

»Frost bedeutet Kühlung«, erklärte Babir sofort. »Und E-Q-U ist aus dem Lateinischen und
heißt was mit Pferd.«

»Kalte Pferde?« Herman runzelte die Stirn.
Vielleicht hieß »Equ-Frost« auch »frierende Reiter«, das würde zu seiner Stimmung passen, obwohl er natürlich nie auf Milchmann geritten
war.

Die Kinder waren stehen geblieben und beob-
achteten den Lastwagen. In diesem Moment öffneten sich die beiden Türen am Fahrerhäuschen
und zwei schwarz gekleidete Männer sprangen
heraus. Herman kniff die Augen zusammen.

»Ist das ein Pferdetransporter?«, fragte Babir und biss ein Stück von einem Schokoriegel ab. »Vielleicht bringt er Pferde zu einem Schlachthof?«

Herman starrte ihn an. Dann starrte er wieder auf den Lastwagen und auf die Männer, die eben die Gartenpforte zu Hermans Haus öffneten und gleich darauf an der Haustür klingelten. »Sie suchen Milchmann. Das sind bestimmt die gleichen Männer, die gestern Nacht schon da waren!«

»In Italien und Frankreich essen die Leute Wurst aus Pferdefleisch«, murmelte Babir.

Herman musste die Augen schließen, so schlecht war ihm plötzlich. Als er sie kurz darauf wieder öffnete, sah er, wie Babir neben ihm stand und sich selbst den Mund zuhielt. Er folgte seinem Blick. Und dann sah er es auch. Im gleichen Moment hörte er das Getrappel der Hufe.

Hinten am Ende der Straße trabten Milchmann

und Iverson. Als Milchmann Herman entdeckte, fiel er in einen freudigen Galopp.

»Vielleicht glaubt er, dass er bei dir wohnt?«, vermutete Babir.

Herman sah, wie Milchmann direkt auf ihn zuhielt.

Die Männer vor Hermans Haus hatten es auch gesehen. Sie drehten sich um und rannten zu ihrem Lastwagen zurück. Der Motor heulte auf, als sie in der engen Straße zu wenden versuchten.

»Die wollen die Pferde fangen und daraus Wurst machen ...«, flüsterte Herman mit zitternder Stimme. Er fühlte, wie etwas Warmes an seinen Wangen hinabtropfte. Entweder es war Regen oder er weinte.

Milchmann und Iverson waren jetzt keine hundert Meter mehr entfernt. Sie galoppierten mit wehenden Mähnen auf die Kinder zu. Da hatte Herman eine Idee.

»Kannst du reiten, Babir?«

Babir drehte sich schockiert zu ihm um. »Soll das ein Witz sein? Du hast wohl noch nie vom

Großvetter meines Urgroßvaters gehört, dessen Schwager der pferdeliebste Maharadscha war, den Indien je gesehen hat? Der hatte tausend weiße Araber und tausend schwarze …!«

»Beruhige dich«, sagte Herman. Er hörte sich sprechen und konnte selbst nicht glauben, dass er da sprach. »Du nimmst Iverson und ich versuche es mit Milchmann.«

»Was versuchst du mit Milchmann?«

Der Lastwagen wendete genau in dem Augenblick, in dem Milchmann die Kinder erreicht hatte. Milchmann schnupperte kurz an Babirs Rucksack, der sicher noch jede Menge Leckerbissen enthielt, dann stupste er Herman mit der Nase an. Seine weichen Lippen bebten. Bestimmt spürte er die drohende Gefahr. Als ob er ahnen würde, was Herman vorhatte, stellte er sich dicht an die Gartenmauer, und Herman konnte hochklettern und sich auf den breiten Rücken des Pferdes stemmen, ohne sich besonders anzustrengen. Nun nur noch das Bein darüberwerfen, dann saß er. Milchmann war so dick, dass Herman sich tatsächlich fühlte wie auf einem Elefanten.

Babir hob die Augenbrauen und kletterte schweigend auf Iverson.

Der Lastwagen in der Ferne nahm Fahrt auf.

Oben in dem Haus, vor dem sie standen, wurde ein Fenster geöffnet und eine Frau rief hinaus: »Aber nicht an meine Gartenmauer pinkeln!«

»Das sind Pferde«, entgegnete Herman frech. »Keine Hunde.«

Die Frau schlug das Fenster mit einem lauten Knall wieder zu. Das hätte sie wahrscheinlich nicht tun sollen. Der Knall klang wie ein Schuss. Herman erschrak auch. Aber natürlich nicht SO stark wie Milchmann. Er spürte, wie das Pferd sich zwischen seinen Schenkeln leicht aufblies.

Im gleichen Moment hob Milchmann den Kopf so hoch, dass Herman kaum noch über ihn hin-wegschauen konnte. Er schien mit Iverson einen Blick zu wechseln. Dann hoben sich die Vorder-hufe vom Boden. Beide Pferde streckten die Hälse nach vorne und schossen los.

Herman wäre fast hinten runtergefallen. Er hatte in der letzten Sekunde noch ein paar Haare der Mähne zu fassen bekommen, jetzt hoffte er

inständig, dass sie auch fest mit dem Pferd ver-
wurzelt waren. Eine halbe Pferdelänge hinter ihm
jagte Babir auf Iverson dahin, erhaben und würdig wie ein König. Fehlte nur noch, dass er sich
beim Reiten ein Bonbon auswickelte, dachte Herman verärgert.

So schnell wie heute hatten sie den Wahnsinnsweg noch nie hinter sich gebracht. Herman musste sich nicht einmal sehr stark festklammern. Als
er zurückblickte, sah er, wie der Lastwagen hinter
ihnen dahinraste und leicht schlingerte.

»Sollten wir nicht von der Straße abbiegen?«,

rief Herman. »Wenn wir von der Straße weg sind,
können sie uns nicht folgen.«

Babir schien einen großen Teil seiner Kraft darauf zu verwenden, möglichst würdevoll auszusehen. Da blieb ihm nicht mehr viel Atem zum
Diskutieren. »Schule?«, stieß er knapp hervor,
während Iverson unter ihm noch einen Zahn zu-
legte.

»Schon abgeschlossen!«, blökte Herman zurück.

Milchmanns Mähne flatterte im Fahrtwind.
Hermans Haare flogen. Sie waren jetzt in den Teil

des Wahnsinnswegs gekommen, in dem hohe Allebäume standen. Über Herman raschelte es in den Kronen. Es rauschte in seinen Ohren. Schon hörte er den klopfenden Motor des Lastwagens dicht hinter sich.

Die Angst breitete sich in seinen Adern aus und er erstarrte zu Blei. Nur Hermans Gehirn arbeitete noch auf Hochtouren. PFERD, dachte er. PFERD, PFERD, COWBOYS, LAGERFEUER, BOHNEN, COLT, INDIANER, WESTERN, PRÄRIE, HUFEISEN, HUFEISEN. HUFEISEN. SCHMIED. SCHMIED! FEUERBACH! Ja, das war es! Nur der alte Schmied konnte ihm jetzt noch helfen. »Durch den Park zum Altersheim! Los, wir biegen da vorne ab!«

Kaum hatte Herman das geschrien, da schwenkte Milchmann auch schon vom Weg ab und jagte eine Weile neben dem Fahrradweg her. Iverson folgte, ohne aus dem Tritt zu kommen. Der Lastwagen fuhr auf der Straße fast genau auf gleicher Höhe mit ihnen. Als Herman kurz zur Seite schaute, sah er, wie der Mann auf dem

Beifahrersitz gehässig grinste. Herman war froh, dass er oft heimlich ferngesehen hatte, sonst hätte er gar nicht gewusst, dass man an diesem Gesichtsausdruck einen Bösewicht erkennen konnte.

»Sagtest du Altersheim?«, rief Babir. »Oder was sagtest du?«

»Abwarten«, brüllte Herman zurück und bog auf den Rasen ein. Das Altersheim lag jetzt direkt vor ihnen. Der Laster war nicht mehr zu sehen, aber am Heulen des Motors hörte man, dass er weiter auf der Hauptstraße dahindüste und wieder näher kam.

Hermans Gedanken rasten Milchmanns weiten Sprüngen noch voraus. Vielleicht konnten sie den alten Schmied um Hilfe bitten. Herr Feuerbach verstand bestimmt eine Menge von Pferden. Als Schmied. Und er hatte Herman den wirksamen dicken Hustenbonbon für Milchmann gegeben.

Sie ritten direkt auf die Einfahrt zu, glitten von den Pferderücken hinunter und stürmten ins Altersheim. Die automatische Eingangstür ließ auch die Pferde hindurch. Milchmann und Iverson folgten ihnen wie zwei Schatten.

Sie quetschten sich alle zusammen in den Fahrstuhl hinein. Herman konnte gerade noch mit ausgestrecktem Arm den obersten Knopf drücken. Da schloss sich die Fahrstuhltür langsam und es brummte draußen. Bremsen quietschten. Völlig klar. Der Pferdetransporter war vor dem Portal zum Stehen gekommen.

Keine Bewegung!

»Können wir nicht eine kleine Pause machen?«, fragte Babir und versuchte eine Sirupwaffel aus dem Seitenfach seines Rucksacks zu angeln. Der Fahrstuhl machte einen Hüpfer und dann waren sie da. Die Fahrstuhltür öffnete sich und vor ihnen lag eine weite Rasenfläche. In der Ferne sah man die Dächer der Stadt, die nahen Hügel, die Autobahn, die die Landschaft durchzog.

In der Mitte des Dachgartens war ein Rasen, dort wuchsen Blumen in allen Regenbogenfarben. Hier und dort standen Bänke und Stühle, auf denen jetzt, am späten Nachmittag, einige alte Leute ihre Gesichter der Sonne entgegenhielten.

Von unten drang nur das Brummen des Lastwagens zu ihnen herauf. Milchmann wackelte mit der Oberlippe, dann machte er »pphhrr«. Das hieß, dass sie jetzt irgendwie über den Dingen schwebten.

»Genau«, sagte Herman zufrieden.

Milchmann und Iverson hatten Witterung aufgenommen und stapften zur Mitte der Grünfläche, wo einige Gänseblümchen vom Wind gekämmt wurden. Dann begannen sie mit dem sorgfältigen Abweiden. Nach einer Weile hörte man nur noch die Rupfgeräusche der Pferde und das Summen einer Biene.

Die schwere Nachmittagssonne wärmte Hermans Stirn und schon bald vergaß er, dass sie

eben erst ihren Verfolgern entkommen waren. Hier waren sie sicher. Hier würde niemand sie finden.

Aber dann schreckte Herman mit einem Mal hoch und sah sich suchend um. »Wir brauchen Feuerbach!«, rief er. »Der muss doch hier irgendwo sein!«

»Dienstags nicht«, knarrte eine feine Stimme unter einem Sonnenschirm hervor. »Dienstags wird er ausgefahren.«

Herman seufzte und setzte sich mit gekreuzten Beinen ins Gras. »So ein Mist!«

»Willst du ein Stückchen Honigkuchen?«, fragte Babir.

Herman schüttelte betrübt den Kopf.

»Nein, danke«, antwortete die Stimme unter dem Schirm. »Mir ist das Leben hier schon süß genug.«

Nach einer Weile machte der Fahrstuhl PING und ein Altenpfleger kam mit einem Tablett herbeigeschlendert und servierte Eistee. Herman zuckte kurz zusammen, dann aber stellte er fest, dass der Altenpfleger niemanden hier besonders zur Kenntnis nahm, weder die Menschen noch die Tiere.

Der Altenpfleger rief mit lauter Stimme: »Na, Mädels!«, klopfte dem verblüfften Milchmann im Vorübergehen den Hals, tätschelte einer alten Dame die Hand, strich Herman übers Haar, pfiff ein Lied, sammelte die ausgetrunkenen Gläser ein, schmetterte »Tschüs, Leute!« und fuhr wieder mit dem Fahrstuhl nach unten.

»Hast du was gesagt?«, fragte eine der alten Damen.

»Morgen gibt es verlorene Eier«, antwortete ihre Sitznachbarin.

»Macht ja nichts«, entgegnete eine dritte Dame. »Was weg ist, ist weg.«

Herman war dem Gespräch aufmerksam gefolgt. »Die reden hier alle aneinander vorbei«, flüsterte er dann. »Und sie sehen einander nicht. Bestimmt können sie die Pferde auch nicht sehen.«

Babir nickte. »Warum lassen wir Milchmann und Iverson dann nicht einfach hier?«

Das wäre ganz leicht, das musste Herman zugeben. »Hier ist es schön. Alle werden gut versorgt. Und die Pferde wären dann immer an der frischen Luft.«

Babir grub in seiner Tasche und zauberte eine Tüte mit Ingwerbonbons hervor. »Für alte Elefanten ist es zum Beispiel vorteilhaft, wenn sie nachts draußen sind und im Licht des Mondes stehen. Vielleicht ist das bei Pferden auch so.«

»Wie romantisch«, sagte eine der alten Damen, die ihnen anscheinend zugehört hatte. »Im Mondlicht kann ein Tier bestimmt sehr hübsche Träume haben.«

»Deswegen nicht.« Babir steckte sich einen Bonbon in den Mund. »So 'n alter Elefant sieht nur besser aus, mit dem Mond im Hintergrund.«

Als es ratterte, merkten sie, dass sich der Fahrstuhl unten ein weiteres Mal in Bewegung gesetzt hatte.

Und plötzlich passierte es. Herman sah nur noch, wie eine Biene von dem letzten nicht abgefressenen Gänseblümchen abhob und über das Geländer des Dachgartens hinweg ins Nichts düste. Milchmann und Iverson hoben die Köpfe und bewegten die Nüstern.

Dann schwang die Fahrstuhltür auf und im gleichen Augenblick begannen ein paar Männer zu brüllen. Es waren auch die beiden dabei, die nachts vor Hermans Garage gestanden hatten, das hörte Herman sofort. Allerdings waren sie jetzt zu viert. Zwei schwarz gekleidete Typen sicherten den Platz vor dem Fahrstuhl. Die beiden anderen machten nicht viele Umstände. Einer brüllte, dass keiner sich bewegen sollte. Aber das tat ohnehin niemand. Herman und Babir waren zu Plastikrittern erstarrt, und zwar zu der Sorte, die absolut nichts bewegen kann, nicht einmal einen einzigen Arm. Die alten Leute hielten ihre Gesichter ungerührt der erblassenden Sonne entgegen. Nur dass sie jetzt alle die Augen geschlossen hatten.

Einer der Männer steckte seine Sonnenbrille in die Brusttasche, dann nahm er eine schwere Eisenkette von seiner Schulter und näherte sich Milchmann.

Der Mann knuffte Milchmann in die Seite. Der machte einen erschreckten kleinen Sprung und duckte sich, so als ob er am liebsten unsichtbar

wäre oder wenigstens ganz klein. Der Mann kaute Kaugummi, während er Milchmann die Eisenkette um den Hals legte. »Keine Bewegung, du Würstchen!«, schnarrte er.

»Pphhrr«, machte Milchmann, und das hieß wahrscheinlich nicht: »SELBER WÜRST-CHEN.« Es hieß eher: »HERMAN, HILF MIR

BITTE, BITTE!« Milchmanns traurige olivfarbene Augen schauten genau in Hermans Richtung. Seine Unterlippe bebte. Das sah aus, als ob er gleich anfangen wollte zu heulen.

»Höi, stehen bleiben!«, rief der Mann und riss an Milchmanns Kette.

Iverson gab einen Pieplaut von sich, als der Mann auch ihm eine Eisenkette um den Hals schlang. Aber dann war es doch nicht Iverson, der das Geräusch machte. Es kam von Babir, der die Lippen fest aufeinanderpresste. Bestimmt machte er das, um weiterhin würdig auszusehen, während zwei Tränen seine Wangen hinabkullerten. Herman schluckte.

»Nun mal ein bisschen plötzlich«, röhrte der vierte Mann, der immer noch am Fahrstuhl stand. »Wir müssen die Pferde zum Bahnhof bringen. Der Gütertransport geht morgen früh um halb neun raus.«

Herman horchte auf. Das klang ja schrecklich, dachte er. Wir müssen die armen Tiere retten.

Der Mann mit den Eisenketten zog kräftig an Milchmann, um ihn zum Mitgehen zu bewegen.

Milchmann drehte sich dauernd zu Herman um. Das machte er so lange, bis der Mann ihm wieder einen Knuff versetzte. Dann hustete Milchmann und schaute nur noch auf den Weg vor seinen Füßen.

Einen Augenblick lang hoffte Herman, dass die Pferde nicht mehr in den Fahrstuhl passen würden. Hier oben hatten sie so groß und so stolz ausgesehen. Nun aber wirkten sie nicht mehr eindrucksvoll. Oder vielleicht konnte man das Eindrucksvolle auch nicht erkennen, wenn man es durch einen Tränenschleier hindurch ansah. »Leb wohl, Milchmann«, flüsterte Herman, als sich die Fahrstuhltür hinter den Pferden schloss. Er fühlte nicht einmal eine Art Schussverletzung. Er fühlte nur eine große Leere in seiner Brust.

Herman und Babir standen noch eine ganze Ewigkeit lang traurig herum. Dann nahmen sie die Treppen nach unten.

In der Halle saß Herr Feuerbach in seinem Rollstuhl. Er trug eine karierte Decke um die Schultern. Seine bleichen Wangen waren von einem leichten rosafarbenen Hauch überzogen.

»Guten Tag«, sagte Herman im Vorbeigehen. Vor lauter Enttäuschung darüber, dass sie Herrn Feuerbach nicht eher getroffen hatten, war Herman ganz einsilbig.

»Das waren Toris«, sagte Herr Feuerbach leise.

»Wer?« Babir, den seine Eltern immer sehr zur Höflichkeit gegenüber alten Leuten anhielten, war stehen geblieben und sah Herrn Feuerbach ehrfürchtig an.

»Die Pferde«, sagte Herr Feuerbach. »Milchmann und der dicke Wallach. Das sind Toris. Kennt man heute kaum noch. Eine alte Rasse.«

Herman sah, dass Babir die Stirn runzelte.

Herr Feuerbach lächelte und das Rosa seiner Wangen wurde noch etwas kräftiger, so als blicke er in einen leuchtenden Sonnenuntergang. »Das ist eine ganz berühmte Rasse. Früher hatten viele Leute diese Pferde. Sie sind sehr stark, sehr groß und sehr schnell. Sie lieben die Menschen und sie fühlen sich sehr zu ihnen hingezogen. Aber heute wollen die Leute lieber elegante Freizeitpferde und nicht so klobige, die ihnen die Haare vom Kopf fressen ... Dabei waren die Toris immer ganz besondere Pferde. Sie gehörten zu den wenigen, die den Menschen auch ein bisschen Zuneigung zurückgaben. Ich dachte, dass sie schon längst ausgestorben sind.« In seiner Stimme schwang Wehmut.

In diesem Moment näherte sich ein Altenpfleger, schlang die karierte Decke enger um Herrn Feuerbach, stopfte sie an den Seiten fest, kippte den Rollstuhl leicht nach hinten und wendete. »So, Mädels, jetzt gibt es gleich Abendbrot«, sagte der Pfleger.

Herman handelt

Schussverletzung hin oder her. Herman konnte sich nicht erinnern, sich schon einmal so traurig gefühlt zu haben. Während des ganzen Heimweges schwieg er, aber da Babir auch nichts sagte, fiel das nicht weiter auf.

Die Abendsonne tauchte die Landschaft in ein mildes rosa Licht. Die alte Schmiede im Park schien von innen zu leuchten. Aber dann sah Herman, dass sich nur ein paar goldene Sonnenstrahlen in den Scheiben spiegelten. Oben am Himmel flogen die Vögel in V-Form. Das sah gewaltig nach Abschied aus, fand Herman.

Einmal blieb er plötzlich stehen, weil er glaubte, ein Wiehern gehört zu haben. Doch dann spürte er, dass das nur der Abendwind gewesen war, der in den Wipfeln sang, und er musste kämpfen, um nicht in Tränen auszubrechen. An der Kreuzung hob Babir die Hand und legte sie Herman kurz auf die Schulter. Dann trottete jeder in seine Richtung.

Zu Hause gingen sie mit Herman um, als ob nichts gewesen sei. Hermans Vater schien sich von seinem leichten Fieber wieder erholt zu haben. Er saß im Wohnzimmer, atmete hörbar durch die Nase und las die Zeitung. Nicht einmal der Geruch erinnerte mehr an Milchmann. Im ganzen Haus roch es nach nichts, wie immer.

»Wegen dem Loch in der Garagenwand …«, fing Herman an und knetete seine Hände. Besser, er brachte es gleich hinter sich.

»Wegen des Loches«, korrigierte sein Vater, ohne von seiner Lektüre aufzusehen. »Das ist ein Genitiv. Wie war es in der Schule?«

»Gut«, antwortete Herman und schlich sich in sein Zimmer. Er konnte sich kaum noch daran erinnern, jemals zur Schule gegangen zu sein.

In dieser Nacht hatte Herman mehrfach das Gefühl, dass jemand gegen die Garagenwand unter seinem Zimmerfenster klopfte. Aber wenn

Herman sich in seinem Bett aufsetzte, spürte er, dass es nur sein Herz war, das so laut pochte.

Als am Morgen sein Wecker klingelte, war er völlig zerschlagen. Herman ging ins Wohnzimmer und blickte lange den Kaktus an, der über Nacht eine knallige Blüte gebildet hatte. War das ein Zeichen? Oder war es nur der Pferdeapfel, der den Kaktus zum Explodieren brachte?

Als Herman den Kopf aus der Tür streckte, war draußen alles ganz still. Nur Frau Grünholz werkelte in ihrem Garten herum.

»Glaub ja nicht, dass du mich veräpfeln kannst«, schnarrte sie, ohne dass Herman auch nur das Geringste gesagt hätte. »Das war ein Pferd bei euch im Wohnzimmer. Ich habe es genau gesehen. So hat es geguckt.« Sie hob die Augenbrauen und schielte auf ihre Nasenspitze, genau wie Milchmann das immer tat. Und obwohl es nicht GENAU so aussah wie bei Milchmann, stach der Anblick in Hermans Seele. Frau Grünholz nickte ihm zu, als ob sie auf eine Antwort wartete. Aber Herman antwortete nicht.

Er kam als einer der Ersten in der Schule an.

Hinter der Turnhalle gab es nicht einmal eine Spur von Milchmann, nichts. So als sei er niemals da gewesen. Herman konnte die viele frische Luft kaum ertragen.

Herman seufzte. Sein Seufzen war so laut, dass er darüber fast das Klingeln überhört hätte. Die Kinder in seiner Klasse saßen schon alle im Klassenzimmer. Außer Babir. Der fehlte.

Gossenstein hatte anscheinend die Nacht nicht geschlafen. Er hatte Ringe unter seinen Augen wie ein Pandabär. »Bitte schlagt eure Arbeitshefte auf«, sagte er. Aber als alle es getan hatten, starrte Gossenstein nur stumm aus seinen Augenringen heraus. Oder hatte er etwa eine Scherzbrille auf?

»Ich hatte einmal ein Pferd«, fing er plötzlich an. »Es stand eines Morgens vor meiner Haustür, und als ich die Tür öffnete, drängelte es sich an mir vorbei ins Haus hinein. Ich habe es Iverson genannt.« Er zögerte. »Wem von euch ist in den letzten Tagen auch ein Pferd zugelaufen?«

Nach und nach reckten sich neun Finger in die Höhe.

»Und wem ist gestern sein Pferd abhandenge-

kommen?« Gossenstein musterte alle Kinder ganz genau. Wieder reckten sich neun Arme in die Höhe.

Gossenstein musste eine Pause machen. Dann griff er mit einem seiner superlangen Arme in seine supertiefe Hosentasche und holte ein blaugelb gestreiftes Taschentuch heraus, mit dem er sich seine superlange Nase putzte. »Ich mochte eigentlich keine Pferde. Dachte ich. Dabei hatte ich nur vergessen, dass ich sie eigentlich doch mochte. Vor langer Zeit.«

»Es waren Pferdediebe«, sagte Herman. »Auf ihrem Laster stand das Wort Equ-Frost.« Und auf einmal flackerte ein Fünkchen Hoffnung in ihm auf. Es musste doch irgendwie möglich sein, diese Kerle zu schnappen …

Gossenstein stieß ein langes Stöhnen aus. »Das klingt ja schrecklich«, klagte er. »Jedenfalls, wenn man etwas Latein kann. Das ist dann wohl der einmalige Fall im Leben, wo es besser ist, kein Latein zu können.«

In diesem Augenblick hörten sie schnelle Schritte. Da flog die Tür auf und Babir stürmte herein. Er war so außer Atem, dass er nichts mehr konnte außer die Hände auf seine Oberschenkel stützen und laut ausatmen. »TO…RIS«, stieß er heftig hervor.

»Ja?«, machte Gossenstein und streckte seinen langen Hals Babir entgegen.

»Ich habe es im Internet recherchiert«, stöhnte Babir. »Es ist genau, wie Herr Feuerbach gesagt hat. Alle unsere Pferde waren Toris. Das ist eine ganz seltene alte Pferderasse.«

»Herr Feuerbach, der ehemalige Schmied?« Gossenstein lächelte.

»Sie kennen ihn? Er lebt jetzt im Altersheim.« Herman spürte plötzlich, wie etwas mit ihm geschah. Er fühlte, dass sich das Leben gewendet hatte, leicht und lautlos wie ein Blatt, und einfach so.

Gossenstein nickte. »Er hatte früher die alte Schmiede unten im Park. Ich kann mich noch erinnern, dass darin immer ein weiß glühendes Feuer brannte. Und Feuerbach stand mit seiner dicken grünen Schmiedschürze und beschlug die riesigsten Pferde. Wir hatten alle mächtig Angst vor ihm. Niemand konnte so laut brüllen wie er. Und niemand war so stark. Aber dann gab es irgendwann kaum noch Pferde und er machte die Schmiede dicht.«

»Waren auch Toris unter den Pferden, die er da immer beschlagen hat?« Herman sah Gossenstein aus großen Augen an.

»Toris? Mensch, an die habe ich seit Jahrzehnten nicht mehr gedacht! Ich hatte ganz vergessen, dass es sie gibt. Aber klar, als ich klein war und die Schmiede von Herrn Feuerbach noch lief, gab es hier jede Menge Tori-Pferde. Und Iverson und die anderen Pferde waren mit Sicherheit Toris … Seltsam, dass ich das nicht gemerkt habe. Es muss daran liegen, dass ich selbst inzwischen erwachsen geworden bin.« Gossenstein fuhr sich mit der Hand durch die Haare und sah sich verzweifelt um. »Kinder, wenn das hier die letzten Toris waren, müssen wir dringend was unternehmen …«

Babir trat von einem Fuß auf den anderen. »Ich habe im Internet herausgefunden, dass es im Norden der Stadt einen Mann gibt, der noch einige Toris besitzt. Er ist ein Tierschützer. Ich habe ihm schon eine E-Mail geschrieben. Vielleicht kann er uns helfen, dachte ich. Vielleicht weiß er, wem diese Pferde gehören. Und was es mit ihnen auf sich hat? Und vielleicht hat er eine Idee, wie wir sie retten können?«

»Diesen schwarz gekleideten Typen jedenfalls gehören sie bestimmt nicht«, murmelte Herman. »Das sind alles Ganoven.«

Und dann spürte Herman noch etwas. Er spürte, dass wieder einmal alles von ihm abhing. Er sah den kopflosen Gossenstein an, warf Babir einen kurzen, entschlossenen Blick zu und ließ die Augen über den Rest der ratlosen Klasse schweifen. Als er schließlich die große runde Schuluhr über der Klassenzimmertür sah, fiel es ihm plötzlich wieder ein. Die Ganoven hatten sich im Dachgarten des Altersheims selbst verraten.

»Alle mal herhören«, hörte Herman sich auf einmal rufen. »Die Pferde werden gerade auf dem Güterbahnhof verladen. Wir müssen alle zusammen dort hingehen. Vielleicht schaffen wir es, sie aufzuhalten. Schnell!«

Ein König für
den Augenblick

Einen Moment lang hatte Herman das Gefühl, dass keiner seine Worte verstand. Aber dann kam Bewegung in die Klasse. Die ersten Kinder waren schon durch den Flur gerannt und beim Schultor angekommen. Auch Babir war in der vorderen Gruppe. Und das, obwohl er sogar noch seinen Rucksack mit den Lebensmitteln gepackt und geschultert hatte. Jetzt schlug er ihm beim Rennen gegen den Rücken und Babir sah ein bisschen aus wie ein großer dicker Käfer kurz vor dem Abheben.

»Kommen Sie mit!«, rief Herman und zog Gossenstein an seinem langen Ärmel. Aber Gossenstein schüttelte nur den Kopf.

Herman nickte. »Sie wollen die Polizei anrufen?«

»Das auch«, rief Gossenstein rätselhaft. »Und ich muss noch schnell einen Besuch bei einem sehr alten Freund machen.«

Herman rannte den anderen hinterher, und noch bevor sie bei der Hauptstraße ankamen, hatte er sie eingeholt.

»Meine Güte!«, rief eine Frau auf dem Bürgersteig. »Wo kommen denn all die Kinder her?«

Herman lief leicht wie der Wind neben Babir her, der wie ein Kampfelefant die Straße hinunterdonnerte. In ihrer Klasse waren 27 Kinder. Aber Herman schätzte, dass jetzt mindestens fünfzig Kinder in Richtung Güterbahnhof unterwegs waren. Einen Augenblick später schienen es bereits hundert zu sein.

Sie sahen den großen grünen Güterwaggon schon von weitem. Davor stand in einigem Abstand der Lastwagen mit der Aufschrift »Equ-Frost«. Einer der schwarz gekleideten Männer führte eben Iverson die Rampe hinab. Das Pferd wieherte kläglich. Die Männer sahen sich zu den Kindern um, die näher kamen, ließen sich jedoch ansonsten nicht stören.

»Halt!«, rief Herman, bevor er überlegen konnte, was man in einer Lage wie dieser am besten ruft. In einem Western hätte er jetzt seinen Colt gezogen. Vielleicht würde es schon nützen, wenn man überhaupt irgendetwas in der Hand hätte. Und sei es nur die Hand eines anderen. Herman widerstand der Versuchung, einfach Babirs kalte Flosse zu ergreifen.

»Lassen Sie sofort die Pferde los!«, bellte eine laute Stimme, die Herman mit Mühe als seine eigene erkannte. Da sah er Milchmann. Das große Pferd streckte seinen großen Kopf aus dem Gü-

terwaggon. Auch auf die Entfernung konnte Herman erkennen, dass Milchmanns Unterlippe wieder einmal bebte.

»Was hast du gesagt, du kleine Kröte?«, rief einer der Männer.

Da sah Herman, wie ganz am Ende der Straße ein komisches Wesen auftauchte. Als das Wesen näher kam, konnte man ahnen, was es war. Es war Gossenstein. Seine langen Beine flogen nur so durch die Luft. Aber auf der abschüssigen Straße schien ihm noch etwas anderes Schwung und Halt zu geben. Und das war der Rollstuhl, den er schob. Darin hockte Herr Feuerbach. Er trug jetzt keine karierte Decke mehr. Herman konnte erkennen, wie breit Feuerbachs Schultern waren und wie dick und kräftig die Oberarme. Der würde die schwarzen Männer schon zermalmen, ganz klar, dachte Herman.

Er spürte, wie auch in seinen Körper die Kraft zurückkehrte. Er drehte sich zu den Pferdedieben um und steuerte auf Milchmanns Waggon zu.

»Nicht, Herman!«, rief Babir. »Tu das nicht. Warte lieber, bis die Polizei da ist!«

»Los, Kleiner, geh zu deiner Mami«, höhnte einer der Männer.

Herman ging einfach weiter. In wenigen Sekunden hatte er den Güterzug erreicht. Milchmann wieherte leise und reckte immer noch den Kopf aus dem schmalen Türspalt.

Dann streckte Herman die Hand aus und legte sie an den großen kalten Metallriegel, der die beiden Türklappen zusammenhielt. Hinten an Hermans Hals lief der Schweiß hinunter. Gleich würde der Zeitpunkt kommen, an dem Feuerbach sich aus seinem Rollstuhl erhob, um den bösen Buben eins auf die Nuss zu hauen. Pong, flatsch, peng. Herman konnte es fast schon vor sich sehen, so genau wusste er, dass es geschehen musste. Und so sehr sehnte er es herbei.

»Pfoten weg, Kleiner«, sagte nun einer der Männer und holte aus, um Herman auf die Finger zu schlagen. Die Pferde im Inneren des Waggons wurden unruhig.

»Selber Pfoten weg«, antwortete Herman mutig. Dann öffnete er den Riegel und zog eine der schweren eisernen Türhälften zur Seite.

»Hat der 'ne Macke, oder was?«, fragte der größte der schwarz gekleideten Männer seine Kumpels, aber die wussten es auch nicht.

»Das sind nicht Ihre Pferde«, rief Herman und schob die zweite Seite der Tür auf.

Da sah Herman die Polizeiwagen. Er hatte sie gar nicht kommen hören. Es dauerte nicht lange, da umringten fünf grimmige Polizisten die schwarz gekleideten Männer. Zwei von den Ganoven mussten sogar ihre Hände auf das Dach des Wagens legen, während sie nach Waffen abgeklopft wurden. Herman schaute zu Babir hinüber. Das hätten sie auch selbst machen können. Schließlich hatten sie oft genug Polizei gespielt und wussten, wie so was geht. Die Männer wurden nach dem Abklopfen in Handschellen gelegt und in die Polizeiautos verfrachtet.

Neben einem der Wagen standen Gossenstein und der Rollstuhl mit Herrn Feuerbach. Herman spähte hinüber. Gossenstein wurde von einem Polizisten gefragt, wie er hieß und was überhaupt los war. Dann wendete sich der Polizist an einen anderen Mann, der hinter Gossenstein stand,

einen grünen Anzug trug und verlegen zu Boden
starrte. Er stellte ihm mehrere Fragen, die Herman nicht verstehen konnte. Der Polizist schrieb
emsig mit. Schließlich winkte er Herman und
Milchmann zu und die anderen Schüler bildeten
eine Gasse, so dass sie durchgehen konnten.

Herman kam sich vor wie ein König. Ein König, der sein dickes graues Pferd hinter sich her-
zieht, denn er war sich sicher, dass Milchmann
und die anderen Tiere nun gerettet waren. Milch-

mann selbst war eher skeptisch. Aber er ließ sich ziehen. Hermans gutes Gefühl dauerte nur einen Moment. Dann sagte Gossenstein: »Herman, lass das Pferd los«, und Herman spürte, wie sein Herz in seine Knie sackte. »Es gehört dir nicht und du darfst es nicht mitnehmen. Es gehört diesem Herrn hier.« Er zeigte auf den Mann in Grün. »Das ist Herr Muntermoser. Den hat Babir mit seiner E-Mail verständigt. Und wie es aussieht, war er es, dem all diese Toris abhandengekommen sind. Die Ganoven hier haben sie ihm geklaut. Allerdings sind einige Toris geflüchtet und haben sich bei den Kindern in dieser Stadt versteckt.« Er räusperte sich. »Und, ähäm, bei mir.«

»Was?«, rief Herman. »Aber …!«

»Kein Aber!«, antwortete Gossenstein. »Du musst Milchmann jetzt an Herrn Muntermoser zurückgeben. Ich selbst hatte mich auch schon fast an Iverson gewöhnt. Aber letztlich hilft es ja nichts. Nun sag Milchmann Lebwohl und bring ihn wieder zu seinem Herrn!«

Herman sah zu Muntermoser hinüber. Das konnte nicht sein Ernst sein! Dieser schmächtige

Mann sah nicht so aus, als ob er was von Pferden verstand.

Inzwischen waren die Pferde eines nach dem anderen aus dem Waggon gestapft. Einige von ihnen standen unschlüssig herum und äpfelten auf die Schienen, andere wanderten ein wenig auf und ab.

»Also dann«, sagte einer der Polizisten und sah streng zu Muntermoser hinüber, der seine Hände knetete. »Kümmern Sie sich bitte jetzt ordnungsgemäß um Ihre Tiere und machen Sie den Weg frei. Die Kinder gehen unverzüglich wieder in die Schule und nehmen den Unterricht auf.« Sein Blick fiel auf Feuerbach. »Und die Rentner zurück in die Heime, und zwar zacki-dalli!«

Einige der kleineren Kinder hatten sich schon auf den Heimweg gemacht. Muntermoser tat ein paar zaghafte Schritte, zuckte zusammen, als eines der Pferde schnaubte, und angelte schließlich vorsichtig nach Milch-

manns Halfter, um ihn von Herman wegzulo-
cken. Es war ganz deutlich zu sehen. Muntermoser hatte ANGST vor Pferden.

Da hörten sie DAS GERÄUSCH.

Es klang wie das Murmeln eines Baches, aber es
war viel lauter und es schwoll langsam an. Dann
waren einzelne Töne zu vernehmen, wie Silben
einer fremden Sprache. Die Silben schienen sich
zu merkwürdigen Worten zu formen.

Herman drehte den Kopf, um herauszufinden,
woher das Geräusch kam. Da sah er, dass Herr
Feuerbach zornig die Lippen bewegte. Er war
es, der in der fremdartigen Sprache sprach. Und
obwohl Herman nicht verstand, was er sagte,
merkte er doch, dass Feuerbachs Worte nicht an
die Menschen gerichtet waren. Feuerbach sprach
mit den Pferden. Er gab ihnen einen Befehl.

Die Pferde hatten ihre Ohren aufmerksam
nach vorne gelegt, kurz darauf wieherten einige
von ihnen. Herman sah, wie Milchmann den Hals
straffte.

Und dann ging alles sehr schnell. Eines der
Pferde, ein riesiger Rappe, richtete sich auf und

schnaubte. Wenig später raste es los. Milchmann hustete kurz und trocken und fiel fast aus dem Stand in einen fliegenden Galopp, und Iverson folgte den beiden wie ein Schatten. Die anderen Pferde blähten die Nüstern. Schottersteinchen spritzten wie kleine Geschosse unter ihren Hufen auf. Im Bruchteil einer Sekunde waren die Pferde zu einer Herde verschmolzen und hinter dem Bahndamm am Ende der Straße verschwunden.

»So«, sagte Feuerbach zufrieden und drehte sich zu Gossenstein um. »Toris brauchen eine feste Hand. Und eine liebevolle! Zur alten Schmiede, bitte!«

Hermans Blick fiel auf Herrn Muntermoser. Warum protestierte er nicht? Schließlich waren es doch seine Pferde? Aber Herman sah nur, wie Muntermoser seine Hände in die Hosentaschen steckte und wie er unglücklich den Kopf schüttelte.

Gut meinen
reicht nicht

Die Polizisten hatten die Flucht der Pferde mit
Entsetzen verfolgt, nun aber redeten sie alle durch-
einander. Zwei von ihnen zupften sich gegenseitig
am Ärmel. Die anderen schimpften und schrien
»Diebstahl!«. Einer wollte Feuerbachs Rollstuhl
festhalten, schaffte es aber nicht, da Gossenstein
sich ihm in den Weg stellte.

Da erhob sich Feuerbach aus seinem Rollstuhl
und machte ein paar Schritte auf die Polizisten zu.
Er war riesengroß und sah im Stehen furchter-

regend aus. Einige der Kinder blieben mitten auf der Straße stehen. Andere quiekten.

Die Polizisten hatten anscheinend Verstärkung angefordert. In der Ferne gellte bereits eine Polizeisirene, dann waren es zwei, vier, ganz viele, wie ein riesenhafter schrecklicher Chor, der immer lauter wurde.

Feuerbach ging mit langen stampfenden Schritten die Straße hinunter in Richtung Schmiede und wurde dabei so schnell, dass selbst Gossenstein kaum mit ihm Tritt halten konnte. Die Polizisten brüllten in ihre Handys, dann pfefferten sie sie auf die Rücksitze ihres Autos, neben die aufschreckenden Pferdediebe, und folgten dem immer dichter werdenden Strom der Kinder, der hinter Feuerbach herrauschte.

Herman musste traben, um nicht den Anschluss zu verlieren. Babir konnte zwar mithalten, aber er schimpfte pausenlos. Er hatte Hunger und das machte ihn etwas ungerecht. Babirs altindische Flüche waren die schlimmsten, die Herman je gehört hatte.

Sie kamen alle gleichzeitig mit einem riesigen Geschwader von Polizeiwagen bei der alten Schmiede an. Im vorderen Wagen saß der Polizeipräsident persönlich. Er war noch jung und musste sich mit dem Megafon Gehör verschaffen. »Meine Damen und Herren! Liebe Bevölkerung! Bitte, bewahren Sie absolute Ruhe!«

Herman versuchte sich nach vorne zu drängeln, so dass er einen Blick in die Schmiede werfen konnte. Eines der beiden großen Tore stand halb offen. Und tatsächlich, hier waren sie. Im Inneren trappelten Pferdehufe.

»Sie sind verhaftet!«, rief der Polizist, den Herman schon von seinem Besuch im Wahnsinnsweg kannte. Der Polizist versuchte Feuerbach auf sich aufmerksam zu machen. Aber Feuerbach tat so, als ob er nichts hörte. Er stand inmitten einer

Schar von Kindern und hatte die Hände in die Seiten gestemmt.

»Sie sind alle verhaftet!«, schnarrte jetzt die Stimme des Polizeipräsidenten durch das Megafon. »Hier liegt ein Fall von schwerer Pferdeentführung in mehreren Fällen vor!«

Aber nun drängte sich Muntermoser durch die Menge. Er war den Kindern offenbar zur Schmiede gefolgt.

»Halt! Nicht verhaften!«, rief er mit fiepsiger Stimme. Dann räusperte er sich. »Das geht schon in Ordnung. Die Tiere dürfen bei dem alten Mann bleiben. Meine Toris hören anscheinend viel besser auf ihn – und haben sich bei mir sowieso nie richtig wohl gefühlt.«

Herman sah, wie Feuerbach ein Stückchen näher kam und Muntermoser von oben bis unten musterte. Herman stellte sich dicht neben Feuerbach.

»Ich liebe Pferde. Und ich habe diese Toris gerettet«, stammelte der Mann plötzlich mit brüchiger Stimme. »Jeden einzelnen von ihnen.«

Der Polizeipräsident runzelte die Stirn.

»Ich habe nämlich etwas Geld gewonnen«, erklärte Muntermoser weinerlich. »Damit hab ich
einige dieser Pferde vom Schlachthof freigekauft.
Keiner wollte sie haben, weil sie so riesig und so
ulkig und so altmodisch ausschauen«, winselte er.
»Und der dicke Graue da drüben, der lebte auf
einem Bauernhof und niemand hatte mehr Verwendung für ihn.«

»Aber Sie hatten Verwendung für ihn?«, fragte
Feuerbach streng.

Nun begann der Mann wieder zu stottern.
»Nein, nicht direkt. Ich meine, ich wollte ihn vor
dem Tode retten. Das war alles. Da hab ich ihn
den neuen Besitzern des Hofes abgekauft. Sie
wollten den Stall im Landhausstil umbauen und
ihn dann vermieten.«

»Und was sollte Milchmann bei Ihnen machen?«, fragte Feuerbach. »Außer herumstehen?«

»Also, sonst eigentlich nichts«, murmelte Muntermoser. »Aber ich habe sein Leben gerettet und
das der anderen Pferde auch.«

»Herumstehen oder Herumsitzen oder Herumliegen ist kein richtiges Leben«, blaffte Feuerbach. »Jedenfalls nicht für ein Pferd. Ein Mensch kann ja was lesen, während er herumsteht, herumsitzt oder herumliegt. Ein Pferd nicht.« Feuerbach war inzwischen bedrohlich näher gekommen. »Und die Tiere haben sich das einfach so gefallen lassen?«, fuhr er wütend fort.

In den kleinen Äuglein des Mannes glitzerten jetzt Tränen des Selbstmitleides. »Eben nicht«, sagte er kläglich. »Das ist es ja. Ich habe ihnen Stroh besorgt und einen Unterstand im Stall und alles. Aber sie haben nur an die Wände gebollert. Und geäpfelt.« Auf seiner Stirn hatten sich kleine Schweißperlen gebildet. »Sie haben Löcher in die Stallwände geschlagen. Ihre Boxen kaputt gehauen. Und sie sind immer wieder ausgerissen.«

»Die Tiere haben sich gelangweilt«, donnerte Feuerbach. »Hätten Sie vielleicht Lust, jahrelang in einem Stall zu stehen und Strohhalme zu zählen, nur weil Sie zu einer seltenen Art gehören?«

»Ich? Nein, bestimmt nicht!«, bekannte der Mann kleinlaut.

»Und dann waren Sie wohl froh, als Ihnen die

Pferde gestohlen wurden! Geben Sie es doch zu! Das war eine richtige Erleichterung für Sie! Deswegen haben Sie sie auch nicht als vermisst gemeldet.«

Muntermoser nickte betreten.

Feuerbachs Augen blitzten gefährlich. »So kann man nicht mit Pferden umgehen – und mit den alten Toris schon gar nicht«, giftete er. »Was haben Sie sich nur bei der Sache gedacht?«

»Aber ich hab es doch nur gut gemeint …«, stammelte Muntermoser.

»Gut meinen reicht nicht!«, donnerte Feuerbach. »Wenn man jemanden rettet, muss man auch die Verantwortung für ihn übernehmen.«

»Es tut mir leid! Ehrlich!«, schnüffelte Muntermoser. »Und bei euch Pferden möchte ich mich auch entschuldigen. Ich glaube, ihr hattet es bei mir wirklich nicht so besonders …«

Milchmann hob den Kopf und schien die Stirn zu runzeln. Die Herde wieherte angriffslustig. Herman beobachtete, wie Feuerbach Milchmanns Ohr berührte und ihm leise etwas zuflüsterte. Milchmann warf Feuerbach einen trotzigen Blick zu. Dann stapfte er aber doch auf Muntermoser zu und stupste ihn leicht mit der Nase an.

In diesem Augenblick bemerkte Herman, wie sich mitten zwischen den Schaulustigen eine kleine Gestalt auf die Zehenspitzen stellte und Herrn Feuerbach zuwinkte. »Warum sitzen Sie nicht in Ihrem Rollstuhl, Herr Feuerbach?«, rief Hermans Mutter. »Ich habe Sie überall gesucht!«

»Meine Frau hat mich im Büro angerufen und ich bin sofort losgefahren. Als Suchkommando«, fügte Hermans Vater hinzu, der hinter Hermans Mutter noch hervorlugte. »Wollen Sie sich nicht lieber wieder in Ihren Rollstuhl setzen?«

»Das würde ich ja tun«, antwortete Feuerbach. »Bequem war es immerhin. Aber ich kann es leider nicht mehr, weil ich hier gebraucht werde. Ich muss wohl die Schmiede wieder aufmachen.«

»Was für eine gute Idee!«, rief Gossenstein.

Feuerbach funkelte ihn mit einem strengen Blick an. »Mit ein paar klugen Sprüchen ist es aber nicht getan, du naseweises Bürschchen«, sagte er zu Gossenstein. Einige der Kinder kicherten. Und auch Herman fühlte einen Kitzelreiz in seiner Nase. Babir hielt sich den Mund zu, damit er nicht anfing zu lachen.

»Wenn Muntermoser einverstanden ist, will ich die letzten Toris bei mir in der Schmiede aufnehmen«, sagte Herr Feuerbach und warf einen kurzen Blick zu Muntermoser hinüber, der errötend nickte. »Aber sie brauchen alle eine Beschäftigung«, fuhr Feuerbach fort.

»Wir kümmern uns um die Toris!«, rief Herman eifrig und sah sich zu all den versammelten Kindern um. Er fühlte sich wieder ein bisschen königlich.

Feuerbach nickte. »Wenn ihr die Pferde mit

mir gemeinsam retten wollt, dann müssen wir ihnen eine Aufgabe geben.«

Einen Moment lang schwieg die Menge. Dann sagte Herman: »Ich könnte auf Milchmann zur Schule reiten!«

»Wer will, kann nachmittags in unseren großen Garten zum Reiten kommen«, schlug Gossenstein vor. »Vielleicht sollten wir auch im Werkunterricht eine Kutsche bauen und einen Fahrdienst zwischen dem Altersheim und der Stadt einrichten.«

»Die Pferdeäpfel können in die Beete eingegraben werden«, meldete sich plötzlich Muntermoser zu Wort. »Nachdem wir sie vorher umgepflügt haben, mit einem Pferd, das einen Pflug zieht. Das will ich gerne machen, ich war früher Bauer.«

»Es ist schön, wenn das große Viech uns auch in Zukunft gelegentlich mal besuchen kommt«, sagte Hermans Vater nun. »Wir werden ihm eine Tränke im Vorgarten bauen. Dann muss es nicht jedes Mal ins Haus kommen, wenn es aus unserer Salatschüssel trinken will.«

Vier Monate später ...

An einem Morgen im September ritt Herman zur Schule. Es war der erste Schultag nach den Sommerferien. Ein leichter Wind wehte und kleine schnelle Schwalben schrieben noch ein paar geheime Botschaften in den blauen Himmel, bevor sie in den Süden zogen. Herman war über den Sommer ein kleines Stückchen gewachsen. Morgens machte jetzt seine Mutter das Schulbrot für ihn, bevor sie zur Arbeit fuhr, aber Herman fand, dass sie das nicht mehr zu tun brauchte.

Während der Ferien hatte er Babir manchmal abgeholt und sie waren gemeinsam zur alten Schmiede gegangen, um dort mit den Pferden und den anderen Kindern zu arbeiten und zu spielen. Die Toris lebten nun dort und sie hatten eine Menge Unterhaltung und Abwechslung.

Nach und nach stellte sich heraus, dass Gossenstein und Feuerbach einander besser kannten, als es zunächst den Anschein gehabt hatte. Als Junge hatte Gossenstein Pferde tatsächlich sehr gerne gehabt und er hatte viele Stunden bei dem Schmied zugebracht und in die weiße Glut des Feuers geschaut. In diesem Sommer aber baute er mit den Kindern eine Kutsche für Milchmann und für Iverson, und die Pferde zogen oft mit den Bewohnern des Altersheims und mit den Kindern aus dem Kindergarten durch den Park.

Als Herman die Straße hinunterritt, sah ihm Frau Grünholz hinterher, die gelegentlich in der Schmiede vorbeikam, Herrn Feuerbach anstrahlte und Äpfel für die Pferde brachte. Wenn sie Herman begegnete, machte sie immer noch ein griesgrämiges Gesicht.

Milchmann ging erhobenen Hauptes die Straße entlang. Seit damals im Mai hatte seine Unterlippe niemals wieder gezittert, außer vielleicht, wenn er grinsen musste, weil Herman wieder einmal von seinem Rücken gerutscht war. Sie hatten das Tor zum Park erreicht, als Milchmann in einen leichten Trab und dann in einen windschnellen Galopp fiel. Die Sonne schien und umhüllte Herman und Milchmann mit ihrem glitzernden Licht. Herr Feuerbach stand vor der alten Schmiede und winkte ihnen zu.

An einem Tag wie heute, fand Herman, war das Leben wirklich zum Aushalten.

Indianer-Geschichte

Ursula Wölfel
Fliegender Stern
Illustriert von Bettina Wölfel
112 Seiten
Taschenbuch
ISBN 978-3-551-35657-4

Fliegender Stern möchte endlich zu den großen Jungen gehören. Dann hätte er ein eigenes Pferd und dürfte vielleicht sogar mit auf die Büffeljagd! Doch Büffelherden sind kaum noch zu finden, seit die Weißen gekommen sind. Und ohne Büffel kommt der Stamm nicht über den Winter. Da beschließen Fliegender Stern und sein bester Freund Grasvogel heimlich zu den Weißen zu reiten, um herauszufinden, warum sie die Büffel vertrieben haben ...

www.carlsen.de

Rennschwein Rudi Rüssel

Claudia Kühn
Rennschwein Rudi Rüssel, Band 1: Rudi startet durch

128 Seiten
Taschenbuch
ISBN
978-3-551-35943-8

Claudia Kühn
Rennschwein Rudi Rüssel, Band 2: Rudi nimmt jede Hürde

128 Seiten
Taschenbuch
ISBN
978-3-551-35944-5

Claudia Kühn
Rennschwein Rudi Rüssel, Band 3: Rudi auf Abwegen

128 Seiten
Taschenbuch
ISBN
978-3-551-35945-2

Claudia Kühn
Rennschwein Rudi Rüssel, Band 4: Lauf, Rudi, lauf!

128 Seiten
Taschenbuch
Taschenbuch
ISBN
978-3-551-35946-9

Richtig glücklich ist Fritz nicht, als er mit seinem Vater aufs Land zu Oma Betty und Opa Oskar zieht. Doch dann findet er schon am ersten Tag einen ungewöhnlichen Freund: das kleine Ferkel Rudi. Der quirlige Vierbeiner sorgt bald für jede Menge Wirbel im Haus. Kein Wunder – schließlich ist er der Ur-Ur-Ur-Enkel des legendären Rennschweins …

www.carlsen.de

Elefantisch

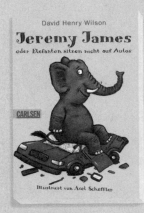

David Henry Wilson
Jeremy James oder Elefanten
sitzen nicht auf Autos
Illustriert von Axel Scheffler
128 Seiten
Taschenbuch
ISBN 978-3-551-35156-2

Wenn Mama sagt, dass Elefanten nicht auf Autos sitzen, dann sitzen Elefanten eben nicht auf Autos.
Aber auf Papas Auto sitzt nun mal ein Dickhäuter, das kann Jeremy James genau sehen. Doch wenn ihm – wie üblich – mal wieder keiner glaubt, wegen seiner angeblich so blühenden Fantasie, dann ist das Auto eben platt gedrückt … Selbst schuld!

www.carlsen.de

Ein kleiner Ritter

Jörg Hilbert
Rösti und Bö
160 Seiten
Taschenbuch
ISBN 978-3-551-35703-8

Es gibt eine Menge Geschichten vom Ritter Rost, aber diese ist die allererste und sie spielt zu der Zeit, als der Ritter noch ein Junge war und von allen immer nur Rösti genannt wurde. Sie handelt von einer Burg, einer Ritterbande, einer anstrengenden Prinzessin, Pobeißern und natürlich von Bö, dem tapferen Mädchen mit ihrem sprechenden Hut, deren Traum es ist, einmal Burgfräulein zu sein.

www.carlsen.de

Beste Freunde

L. S. Matthews
Ein Hund fürs Leben
192 Seiten
Taschenbuch
ISBN 978-3-551-35760-1

Tom und sein kleiner Bruder John sind sich ganz sicher: Mouse ist der beste Hund der Welt! Doch als Tom schwer krank wird, ist Mouse plötzlich ein »Infektionsrisiko« und soll abgeschafft werden. Heimlich schmieden die Brüder einen Plan: Mouse muss bei Onkel David untergebracht werden, bis Tom wieder gesund ist. Ausgerüstet mit einer Straßenkarte macht sich John auf den Weg – quer durch das ganze Land, zu einem Onkel, den er kaum kennt …

www.carlsen.de

CARLSEN